LOS CINCO NIVELES DEL APEGO

DON MIGUEL RUIZ JR.

Los cinco niveles del apego

Sabiduría tolteca para el mundo moderno

URANO

Argentina – Chile – Colombia – España
Estados Unidos – México – Perú – Uruguay – Venezuela

Título original: *The Five Levels of Attachment – Toltec Wisdom for the Modern World*
Editor original: Hierophant Publishing, San Antonio, Texas
Traducción: Núria Martí Pérez

Copyright © 2013 by don Miguel Ruiz Jr.
All Rights Reserved
© 2013 de la traducción *by* Núria Martí Pérez
© 2013 *by* Ediciones Urano, S.A.
Aribau, 142, pral. – 08036 Barcelona
www.edicionesurano.com

ISBN: 978-84-7953-847-7
E-ISBN: 978-84-9944-631-8
Depósito legal: B-20.851-2013

Fotocomposición: Ediciones Urano, S.A.
Impreso por: Rodesa, S. A. – Polígono Industrial San Miguel
Parcelas E7-E8 – 31132 Villatuerta (Navarra)

Impreso en España – *Printed in Spain*

Dedicatoria

A todos los que amo

«Entre los individuos como entre las naciones,
el respeto al derecho ajeno es la paz.»

BENITO JUÁREZ

Índice

Prólogo de don Miguel Ruiz................... 13

Introducción............................. 17

1. Una exploración de la percepción
   y el potencial........................... 25

2. Entender el sueño personal
   y el sueño del planeta 37

3. El conocimiento y los apegos.............. 43

4. Los cinco niveles del apego 55

5. Primer nivel: el yo verdadero 67

6. Segundo nivel: preferencia 75

7. Tercer nivel: identidad 83

8. Cuarto nivel: interiorización............... 89

9. Quinto nivel: fanatismo 95

10. El mayor demonio 103

11. El paso por los distintos niveles del apego 117

12. Descubre tus historias y suposiciones 137

13. El papel de los apegos en los conflictos....... 155

14. Honrando nuestras emociones.............. 167

Epílogo..................................... 181

Agradecimientos.............................. 187

Sobre el autor............................... 189

Prólogo

Don Miguel Ruiz Jr., mi primogénito, pertenece a una nueva generación de artistas, toltecas, que están transformando la manera de vivir de nuestra querida humanidad.

Mi hijo estuvo gran parte de su vida rebelándose en silencio contra la forma de vivir de otras personas, creando muchos juicios y opiniones. No sabía que al obrar de este modo se estaba apegando a esos juicios y opiniones, y que sus reacciones emocionales eran cada vez más intensas.

Un día mantuvo una conversación con su abuela que le cambió la vida para siempre. Durante esta conversación, su abuela, que practicaba la curación a través de la fe, le ayudó a comprender lo apegada que ella estaba a los rituales que hacía para curar a sus pacientes. Mi hijo se vio reflejado en esta relación con su abuela y pudo ver con claridad todos sus apegos. Así es como terminó su rebelión.

Aunque tardó un par de años en asimilar por completo esta experiencia en su vida, al final decidió compartirla en un libro. *Los cinco niveles del apego* es este libro, y está destinado a transformar la vida de millones de lectores. Se ha escrito de una forma sencilla, congruente y fácil de entender.

Este libro te ayudará a ver cómo tus apegos han creado tu realidad, y cómo tu sistema de creencias ha estado tomando todas las decisiones en la historia de tu vida. También te ayudará a ver cómo has creado tu identidad basándote en las opiniones y los juicios de los que te rodean. Don Miguel Ruiz Jr. explica cómo nuestras creencias acaban formando parte de nuestra identidad o de quienes creemos ser. Estas creencias sobre lo que es verdad crean a su vez nuestros apegos y nuestras respuestas emocionales.

También explica cómo los apegos a nuestras creencias distorsionan nuestras percepciones, haciendo que las adaptemos para que encajen con el resto de nuestro sistema de creencias. Tomar consciencia de ello nos ayuda a comprender fácilmente cómo creamos nuestras supersticiones y llegamos a volvernos unos fanáticos de nuestros apegos.

Don Miguel Jr. nos ayuda a ver que, aunque vivamos en el presente, nuestro apego nos hace soñar con un pasado que ya no existe, un pasado lleno de arrepentimiento y dramas. Nuestros apegos también nos llevan a un futuro incierto plagado de miedos sobre cosas que aún no existen, haciendo que nos sintamos inseguros.

Al explicar cómo nuestros apegos se dividen en cinco niveles de intensidad, nos enseña a evaluar nuestro apego a cualquier creencia y nos señala que la mayoría de personas viven en el tercer y el cuarto nivel, el de la identidad y la interiorización.

Como verás, don Miguel Jr. presenta con claridad cómo nos influyen los apegos en las decisiones que tomamos cuando diseñamos la historia de nuestra vida y cómo nos alejan de la realidad. También nos ofrece unas herramientas muy eficaces que nos ayudarán a manejar mejor nuestros apegos de distintos niveles y las reacciones emocionales que nos provocan. Esta mejora se reflejará a su vez en nuestras relaciones con las personas que nos rodean, sobre todo con los seres queridos.

Este libro está destinado a ser un clásico y sin duda alguna querrás leerlo una y otra vez.

DON MIGUEL RUIZ

Introducción

«Todo está hecho de luz. Los seres somos estrellas y las estrellas son seres. Al comprenderlo, nuestros sentidos se abren y ya no sentimos la necesidad de interpretar el mundo. En este momento tenemos al alcance nuestro potencial pleno e ilimitado. No hay nada que se interponga en nuestro camino...»

DON MIGUEL RUIZ, *LOS CUATRO ACUERDOS*

Mi padre, don Miguel Ruiz, maestro y médico jubilado, se pasó muchos años interpretando nuestras tradiciones toltecas para que encajaran en el mundo actual. Los toltecas eran grandes mujeres y hombres de conocimiento que vivieron hace miles de años en un lugar que en la actualidad ocupa la zona sur del centro de México. En la lengua náhuatl, *tolteca* significa «artista» y según nuestras enseñanzas el lienzo para plasmar nuestro arte es la vida misma. Aprendí sobre la manera de vivir tolteca por medio de las tradiciones orales de mi familia, que (según mi tatarabuelo don Exiquio) desciende de los toltecas del linaje de los Guerreros del Águila. Este conocimiento me llegó de mi abuela, Madre Sarita.

Nos llamamos toltecas no sólo por nuestro linaje, sino porque somos artistas. La vida es el lienzo de nuestro arte y la labor de nuestra tradición es enseñar las lecciones de la vida que nos ayudarán a crear nuestra obra maestra.

La tradición tolteca no es una religión, sino más bien una manera de vivir en la que nuestra gran obra maestra es vivir siendo felices y amando. El espíritu está presente en ella y al mismo tiempo rinde homenaje a los numerosos grandes maestros de todas las tradiciones del mundo. El objetivo de esta labor es ser feliz y disfrutar de la vida y las relaciones con las personas que más queremos, empezando por uno mismo.

Inicié mi aprendizaje de la tradición familiar en San Diego, California, a los catorce años. Madre Sarita, mi abuela de setenta y nueve años, fue mi maestra y la líder espiritual de nuestra familia. Ella practicaba la curación a través de la fe y ayudaba a la gente en su pequeño templo en Barrio Logan, un vecindario de San Diego, con el poder de su fe en Dios y de su amor. Como mi padre era médico, la yuxtaposición de estas dos formas de curar me permitió ver nuestra tradición desde distintos puntos de vista.

Aprecié el poder de las palabras de mi abuela mucho antes de llegar a entenderlas del todo. También vi hechos que los demás sólo podían describir como «mágicos» convertirse en habituales: las curaciones milagrosas de Madre Sarita eran diarias. El mundo exterior seguía cautivándome, me encantaba salir con los amigos o ser como cualquier otro chico de mi edad. Iba y venía entre el mundo tolteca de mi familia y el mundo del instituto y los amigos, intentando constantemente encontrar la forma de combinar mi experiencia y a la vez mantener estos dos mundos separados.

Aunque mi abuela no hablara inglés, daba sermones y conferencias por todo el país. Comencé mi aprendizaje traduciendo las conferencias de mi abuela del castellano al inglés. Durante muchos años estuve atascándome al traducir sus palabras, y cuando me sucedía, mi abuela me miraba echándose a reír.

Un día me preguntó si sabía por qué tenía esta clase de problemas. Se me ocurrieron toda clase de respuestas: hablas demasiado rápido, no me dejas darte alcance, algunas palabras no tienen una traducción directa… Mi abuela se me quedó mirando en silencio unos momentos y luego me preguntó:

—¿Eres tú el que usa al conocimiento o es el conocimiento el que te está usando a ti?

Me la quedé mirando sin entenderla.

—Cuando traduces —prosiguió ella—, intentas expresar mis palabras a través de lo que sabes, de lo que crees que es verdad. Pero no me escuchas, sólo te escuchas a ti. Imagínate haciendo lo mismo a cada momento de la vida. Si vas por la vida traduciéndola mientras la observas, no la vivirás. Pero si aprendes a *escucharla*, siempre podrás expresar las palabras en cuanto las oigas. Tu conocimiento es una herramienta para guiarte en la vida, pero también lo puedes dejar a un lado. No permitas que el conocimiento traduzca todo cuanto experimentas.

Le respondí asintiendo con la cabeza, pero no comprendí del todo lo que me quería decir hasta al cabo de muchos años. A lo largo de nuestra vida las voces en nuestra cabeza nos están hablando constantemente, o comentando todo cuanto hacemos, decimos, vemos, tocamos, olemos, saboreamos y oímos. Como narradores natos, seguimos desarrollando la trama, pasándonos por alto a veces millones de subtramas con vida propia. Es como tomar un trago de vino y decir: «Es un poco seco, ha envejecido bien, pero se nota el sabor a corcho. He probado mejores». En lugar de gozar del vino y paladearlo, analizamos su sabor, intentando descomponerlo y meterlo en un contexto y en un lenguaje que ya conocemos. Pero al hacerlo nos perdemos la mayor parte de la experiencia.

Es un ejemplo sencillo de cómo narramos la vida, explicándola, y lo que es más importante, justificándola y juzgándola. En lugar de tomar la experiencia tal como es, creamos una historia para que se ciña a nuestras creencias. Durante las charlas de Madre Sarita yo silenciaba mis pensamientos, porque si los comentarios de mi mente se inmiscuían en ellas, me perdía el mensaje de mi abuela. Con este sencillo proceso me mostró que, si sólo vemos el mundo a través de los filtros de nuestras ideas preconcebidas, nos perdemos nuestra vida. A base de práctica, acabé aprendiendo a cerrar los ojos, desconectar del mundo que existía fuera de mi cabeza y traducir *cada palabra* de mi abuela con exactitud.

Ver más allá de los filtros —de nuestro conocimiento y creencias acumuladas— no siempre se da de manera natural. Nos hemos pasado años adquiriendo apegos de distintos niveles y están muy consolidados. Sea lo que sea a lo que nos apeguemos, empieza a condicionar nuestras experiencias futuras y a limitar nuestra percepción de lo que existe fuera de nuestro vocabulario. A modo de tapaojos, las creencias a las que nos apegamos nos limitan la visión, con lo que también se reduce la dirección que percibimos en la vida. Cuanto mayor sea nuestro nivel de apego, menos visión tendremos.

Las creencias a las que te has apegado son como una melodía que repites en tu cabeza. En cierto modo, estamos imponiendo continuamente nuestra melodía —la que nos hemos acostumbrado a oír— a las melodías de los demás sin ver que la melodía no suele ser nuestra y tal vez ni siquiera es la que queremos interpretar. Si seguimos repitiendo la única melodía que conocemos, nunca nos abriremos para escuchar otras canciones sonando a nuestro alrededor, estaremos dejando que nos controle nuestro apego a una melodía en particular. En su lugar, elige escuchar las otras melodías que suenan. Tal vez puedas contribuir añadiendo una armonía o línea de bajo y observando dónde te lleva la música. Al dejar de apegarte a cómo crees que la melodía *debería* ser, te abres al potencial para crear una canción única y maravillosa o colaborar en alguna composición para compartirla con la gente.

En este libro te enseñaré los cinco niveles del apego. Son puntos de referencia para evaluar hasta qué grado te apegas a tus puntos de vista y también lo abierto que estás a las opiniones de los demás y a las posibilidades que se te ofrecen. A medida que el nivel del apego aumenta, la identidad de uno, el «quien soy» se va ligando de forma más directa al conocimiento o a lo «que sé».

El conocimiento y la información que percibimos son distorsionados y corrompidos por nuestros narradores: las voces de nuestros pensamientos que consideran si es correcta o incorrecta cada acción que realizamos y cada pensamiento que tenemos. Cuando creemos en algo con tanta fuerza que dejamos de percibir nuestro yo verdadero al escuchar las historias y los comentarios de las voces en nuestra cabeza, dejamos que nuestras ideas preconcebidas decidan por nosotros. Por eso es importante advertir cuál es nuestro nivel de apego a una creencia en particular. Al saberlo, podemos recuperar el poder para tomar nuestras propias decisiones.

Abrigo la esperanza de que en este libro descubras hasta qué punto te apegas a las distintas creencias e ideas de tu vida que crean tu realidad, tu sueño personal, y contribuyen a la realidad colectiva y al sueño del planeta. Sólo este profundo conocimiento interior te dará la libertad para ir en busca de tu pasión y experimentar todo tu potencial.

¡En tus manos está!

1

Una exploración de la percepción y el potencial

Nuestro punto de vista crea nuestra realidad. Cuando nos apegamos a nuestras creencias, nuestra realidad se vuelve rígida, estancada y opresiva. Vivimos condicionados por nuestros apegos, porque no sabemos ver que podemos liberarnos de ellos.

Cuando nos miramos al espejo, oímos en nuestra mente un diálogo sobre lo que vemos, la definición de uno mismo en forma de identidad basada en nuestros «acuerdos»: los pensamientos y las creencias a los que hemos dicho sí. Esta identidad surge de las creencias ideológicas que hemos ido adquiriendo a lo largo de los años procedentes de nuestra familia, cultura, religión, educación, amigos y de otras partes, y estas creencias se han condensado en un sistema de creencias representado en la imagen reflejada de un ser vivo físico, en mi caso de un ser vivo llamado Miguel Ruiz Jr., con un punto de vista propio.

Cada uno de mis acuerdos representa un apego que me he creado a lo largo de la vida. Por ejemplo, cuando me miro al espejo, me veo de esta manera:

Soy...

- Miguel
- un tolteca
- un nagual (un guía espiritual)
- un mexicanoamericano
- un americano
- un mestizo
- un marido
- un padre
- un escritor

y así sucesivamente...

Esta lista de autodefiniciones es mi reflejo, y cuando me miro al espejo, puedo oír las voces de mis acuerdos y las condiciones que se han convertido en mi modelo para aceptarme a mí mismo. Mis pensamientos son las voces de mis apegos, de mi sistema de creencias.

Proyecto en la imagen de mí mismo los valores y atributos que reflejan mis creencias. Y cuanto más apegado estoy a ellas, más me cuesta verme tal como soy en este momento y menos libertad tengo para ver la vida desde una nueva perspectiva y elegir quizás un camino distinto. A medida que mis apegos se vuelven más fuertes y consolidados, voy dejando de ser consciente de mi yo verdadero al verlo a través de los filtros de mi sistema de creencias. En la tradición tolteca lo llamamos el *Espejo Humeante:* el humo que nos impide ver nuestro yo verdadero.

El *amor condicional* es lo que le da la fuerza a estos apegos. Cuando te miras al espejo, en lugar de aceptarte tal como eres en ese momento, lo más probable es que empieces a decirte por qué eres inaceptable bajo tu forma actual y qué necesitas hacer para aceptarte a ti mismo: *para ser merecedor de mi amor, debo hacer realidad mis expectativas.*

El deseo de alcanzar a la perfección el modelo arquetípico de cada uno de mis acuerdos distorsiona mi reflejo más aún. Empiezo a juzgarme y a evaluarme según los modelos de mis acuerdos, que a su vez se han convertido en las condiciones para aceptarme a mí mismo. Empleo un sistema de premios y castigos para aprender a alcanzar este modelo arquetípico, y en la tradición tolteca este proceso se conoce como *domesticación*.

La herramienta principal para domesticarnos son los juicios que nos hacemos sobre nosotros mismos. Usando el modelo arquetípico de lo que se supone significa «yo soy Miguel», al mirar mi reflejo veo todos los defectos o deficiencias percibidas y mi domesticación entra en acción:

- «No soy lo bastante listo».
- «No soy lo bastante atractivo».
- «No tengo bastante dinero».
- «Me falta esto o aquello».
- Etcétera.

Los juicios que nos hacemos sobre nosotros mismos dependen de hasta qué punto nos aceptemos. Nuestro apego a estas creencias y juicios negativos se acaba volviendo tan normal que ni siquiera nos damos ya cuenta de nuestra autocensura, los aceptamos como parte de quienes somos. Pero en realidad nuestros juicios sobre nosotros mismos vienen de lo que en el fondo creemos sobre nosotros, tanto si nos aceptamos como si nos rechazamos.

De entre todas las creencias a las que no debes apegarte, ésta es la más importante: *deja de apegarte a la idea de que para ser feliz debes alcanzar una imagen perfecta.* Y no me refiero sólo al aspecto físico, sino también a tu modo de pensar, a la filosofía que sigues, a las metas espirituales que te has fijado y al lugar que ocupas en la sociedad. Todas estas cosas son las condiciones que te has puesto para aceptarte a ti mismo. Crees que para quererte debes estar a la altura de tus expectativas, pero debes comprender que estas expectativas reflejan tus acuerdos y no tu verdadera naturaleza.

Irónicamente, cuando se nos presenta la oportunidad de ver nuestra verdad —al enfrentarnos a nuestro reflejo, tanto si es en un espejo como en el mundo exterior—, más chillonas se vuelven las voces que oímos en nuestra mente. Sé de personas, y yo soy una de ellas, que se negaron a mirarse al espejo por los ensordecedores juicios que hacían sobre sí mismas. Es imposible estar a la altura de una ilusión, ya seas un adolescente o un adulto.

Es fácil culpar a los medios de comunicación, a nuestra cultura o a nuestra comunidad de estar creando continuamente imágenes de lo que se espera de nosotros. Estamos inundados de imágenes comerciales y arquetípicas de héroes y heroínas, de hermosas damiselas angustiadas y de atletas profesionales, de ejemplos de fealdad y de cómo *no* debemos ser. Pero en el fondo no hay nadie a quien culpar, porque un anuncio publicitario, al igual que los juicios que hacemos sobre nosotros mismos, no tiene ningún poder a no ser que aceptemos su mensaje. Nuestra felicidad sólo corre peligro cuando decidimos apegarnos a estas imágenes y distorsiones.

No debemos culparnos por juzgarnos a nosotros mismos. Sólo tenemos que ver que lo hemos estado haciendo desde niños a través del proceso de domesticación. En cuanto nos damos cuenta de nuestros juicios sobre nosotros mismos, podemos volver a ser libres al elegir dejar el modelo de los premios y castigos que nos hemos impuesto para aceptarnos tal como somos.

Podemos elegir… Éste es nuestro poder.

Cuando te miras al espejo, tú eres el único que puede oír las voces en tu cabeza, sólo tú sabes lo que son esos juicios que haces sobre ti. Adquieren la voz y la forma que les des, pero no son más que la expresión de algo a lo que has dicho sí. Puedes elegir liberarte de los modelos que crean una imagen poco realista de ti al saber que tienes el poder de decir no. Cuando dejas de creer en los juicios que haces sobre ti, éstos pierden su poder. Puedes elegir verte desde un estado de aceptación basado en la verdad innegable de que ya eres perfecto y completo tal como ahora eres.

Desde este punto de vista, puedes, si lo deseas, decidir hacer algunos cambios en tu vida, pero ahora la motivación para cambiar no será para llegar a quererte un día, sino porque *ya* te quieres. Cuando ves tu reflejo desde este ángulo, los cambios se dan en sincronía con la trayectoria de tu vida y las posibilidades que se te presentan son ilimitadas. Sólo sufres cuando te olvidas de ello.

TOMAR LA PERFECCIÓN POR IMPERFECCIÓN

Cuando mi padre intentaba hacerme comprender que yo ya era perfecto, me resultaba imposible aceptarlo. Por más que lo intentaba, no podía entenderlo. Estaba apegado a la idea de que la perfección se alcanzaba a base de esfuerzo y dedicación, y de que aún me quedaba un largo camino por recorrer. ¡Cómo iba a ser perfecto si todavía no había conseguido mis objetivos! No era quien yo quería ser. No lograba atraer a la chica que quería. No pesaba lo que debería pesar. Y seguí con mi diatriba mental, estableciendo y después juzgando todas mis imperfecciones.

Si ésta es la clase de perfección que intentamos alcanzar, cuando nuestra historia no coincide con nuestras creencias, la juzgamos como imperfecta y luego nos castigamos por no estar a la altura de nuestras creencias de cómo pensamos que deberíamos vivir. Acabamos adquiriendo una definición de perfección que no tiene nada que ver con la perfección real: «estar libre de imperfecciones o defectos». Muchas veces leemos esta definición con ojos enjuiciadores, desde el punto de vista de alguien que intenta estar a la altura de las historias que se ha creado sobre sí mismo.

Si logramos alcanzar por un momento la perfección desde este punto de vista, nos premiamos queriéndonos de forma condicional. Y luego usamos ese amor condicional como incentivo para intentar alcanzar en el futuro la idea distorsionada que tenemos de la perfección. Es un círculo vicioso.

Durante mi juventud siguió costándome comprender este concepto. Pero mi padre no dejó de transmitirme este mensaje a lo largo de los años. Me decía: «Miguel, cuando entiendas que eres perfecto tal como eres, verás que todo ya es perfecto tal como es».

No es fácil despertarte un día diciéndote que eres perfecto y creértelo de verdad. Para lograrlo es necesario desearlo y comprometerte a ello. Primero dejas atrás cualquier ideal falso de perfección, dejas de apegarte a lo que crees que significa tu propia perfección. Para aprender esta lección tuve que dejar de juzgarme por no estar a la altura de mis expectativas y aceptarme tal como era en ese momento. Primero empecé por aprender a quererme y a agradecer cada mañana el estar vivo.

Después vi la vida con los ojos de un artista y acepté que todo sigue un proceso, que todo es una obra de arte que no tiene fin. Cada pincelada es perfecta por el mero hecho de existir. A medida que el lienzo se va cubriendo de pintura, crece y se desarrolla en lo que es, aunque no siempre tengamos un esbozo para mantenernos fieles a él. Tanto si se trata de unos garabatos de vivos colores como de un paisaje detallado, cada elemento de la obra es pleno y completo en sí, a pesar de seguir nosotros pintando, cambiando y evolucionando a cada pincelada de la vida. Como mi padre dice, «Nuestra vida es un lienzo y todos somos un Picasso».

Desde temprana edad casi todos acabamos creyendo que para aceptarnos o querernos a nosotros mismos debemos alcanzar ciertos ideales o llegar a ser «alguien» en la vida. Vivir con la mentalidad de «en cuanto lo consiga o lo haga» nos hace creer que en este momento no somos libres para vivir nuestra vida.

Muchos conocemos la novela de Miguel de Cervantes *Don Quijote de la Mancha*, una de las obras más destacadas de la literatura española. En ella Alonso Quijano, un hidalgo pobre, se traslada a La Mancha y se obsesiona con las novelas de caballerías hasta tal punto que pierde el sentido de la realidad y cree ser don Quijote, un caballero medieval. Ve el mundo a través de los filtros de la fantasía y las aventuras. Don Quijote interpreta la realidad de manera que se adapte a sus propias expectativas y creencias. Nuestro héroe acaba derrotado y abatido, persiguiendo una imagen que siempre se le escurre de las manos.

Nosotros, como don Quijote, también nos estamos siempre inventando historias. Creamos nuestro propio personaje para ser «alguien». Cuando era joven, asumí varias identidades. Fui Miguel Ruiz Jr., el Bárbaro. Más tarde Miguel el Intelectual, después Miguel el Bohemio y luego Miguel el Artista, y así sucesivamente. Me impuse distintas reglas al igual que don Quijote creó las suyas con la percepción distorsionada de quien era. Otras personas veían su propia verdad y se preguntaban qué estaba haciendo yo. Pero lo único que yo veía era lo que quería ver. Y al igual que Sancho Panza, el fiel escudero de don Quijote, yo oía en mi cabeza las historias que me contaba y sabía que estaba desvariando un poco, pero me las creía por si acaso eran ciertas.

Me pasé muchos años intentando estar a la altura de las imágenes que creaba de mí antes de descubrir que *éste* es quien yo soy, sin necesidad de contarme ninguna historia. Éste soy yo realmente. Soy perfecto en este momento y es todo cuanto necesito para gozar de la vida. Tan pronto como lo comprendí, supe que podía cambiar mi vida tomando el camino más adecuado en cada momento. Ahora era libre para elegir. Las posibilidades se volvieron infinitas, como siempre lo habían sido. Hoy día los cambios que hago no son para aceptarme y quererme a mí mismo, sino para expresarme y experimentar más la vida, porque ya me acepto y me quiero tal como soy.

Las imperfecciones y los defectos vienen de nuestras propias ideas y creencias. Para reconocer la perfección

—o ver el mundo y a uno mismo *tal como son*—, advertimos nuestros apegos a nuestras ideas y creencias y los abandonamos, aunque sólo sea por un instante, para ver más allá de ellos. Yo siempre he sido perfecto, al igual que tú lo has sido. Pero no lo percibimos al estar constantemente juzgándolo todo sin verlo tal como es. El mundo y todo cuanto hay en él es perfecto por el mero hecho de existir en este instante de la única forma que puede existir. Al igual que tú y que yo. Y esto es la perfección: «Yo soy porque soy en este momento».

La libertad es esto: la capacidad de gozar y ser exactamente quien eres sin inhibirte con tus juicios. Un pájaro es un pájaro. Un saguaro es un saguaro. Un humano es un humano. Miguel es Miguel. Tú eres tú. Perfecto tal cual.

Desde este punto de vista, el cambio es distinto. Si intentamos cambiar sin aceptar antes quiénes somos, nos arriesgamos a crear más imágenes falsas de nosotros mismos. Pero si nos aceptamos tal y como somos en este instante, cambiamos porque deseamos crecer y evolucionar en la vida, el querernos a nosotros mismos deja de ser una condición para cambiar, es el punto de partida para el cambio. Éste es el significado verdadero del amor incondicional.

2

Entender el sueño personal
y el sueño del planeta

La función principal de la mente es *soñar:* percibir y proyectar información en una realidad lineal enmarcada por la materia cuando estamos despiertos, y en una realidad no lineal sin el marco de la materia cuando dormimos o fantaseamos. Nuestra existencia va y viene continuamente entre estas dos clases de sueños o formas de percibir.

EL SUEÑO PERSONAL

En primer lugar está el sueño personal. Sólo tú sabes cómo es vivir la vida desde tu punto de vista. Aunque te conozca de muchos años, *nunca* sabré lo que se siente siendo tú. Nunca podré sentirme como si estuviera en tu piel. Nunca sabré, por ejemplo, a qué te sabe el café cuando tú te lo tomas, sólo puedo saberlo desde mi punto de vista. Estoy solo. Nací solo y moriré solo. Sólo tú vives en este cuerpo y sólo tú ves a través de tus ojos. Tus creencias, y nada más que las tuyas, te pertenecen. Eres el único que estás contigo mismo toda tu vida. Imagínate si no te gustaras. Sería una vida muy dura, porque no puedes huir de ti. Por más que intentes evadirte, nunca podrás escapar de tus puntos de vista.

En esta vida mantenemos muchas distintas clases de relaciones, y éstas duran distintos espacios de tiempo. Hay algunas personas que han estado siempre en mi vida, como mi madre y mi padre. Y hay otras que espero que lo sigan estando durante mucho tiempo, como mi mujer y mis hijos. Pero hay otras que llegan y se van más deprisa, como amigos, compañeros de trabajo, conocidos. Sin embargo, cuando nos llegue el momento de abandonar este mundo, tendremos que despedirnos de todas.

Tú percibes y proyectas tu vida y tu sueño. Este sueño está formado por tus pensamientos y experiencias vitales. Lo experimentas a través del sistema nervioso de tu cuerpo, de tus ojos y oídos, de tus emociones, de tu amor. Eres el único que sabe lo maravilloso que es sentir el placer de saborear la comida que te gusta, de abrazar o besar a alguien, de estar simplemente vivo. Éste es tu sueño personal. Puedes crear el paraíso más hermoso o la peor pesadilla según lo que crees, lo que piensas y lo que sabes.

EL SUEÑO DEL PLANETA

Cada ser vivo está en comunión con los demás. La comunión que mantenemos unos con otros puede ser tan pequeña como tú y como yo, o tan grande como un hogar, una comunidad, una nación, un continente, etcétera. Asimismo, el sueño del planeta puede ser tan pequeño como un sueño compartido por dos personas o tan grande como un sueño compartido por todos los seres que existen, y como cualquier otro que se encuentre entre estos dos extremos.

¿De qué se compone el sueño del planeta? Empieza contigo y conmigo. Al igual que yo soy responsable de mí de pies a cabeza, tú eres responsable de ti de pies a cabeza. Somos dos sueños individuales, dos puntos de vista individuales. Esta relación entre ambos, por pequeña que sea, es el sueño llamado *nosotros*. Se da cuando nos relacionamos el uno con el otro y fluyen entre los dos las ideas, los conceptos y los acuerdos.

El sueño del planeta se compone de nuestros síes y noes, que se conocen también como la *intención.* Con cada sí, creas algo. Con cada no, no creas nada. Con nuestra imaginación podemos crear cosas preciosas o feas, y en cuanto decimos sí, se activa el proceso para manifestarlo. El sueño del planeta se va construyendo con las elecciones colectivas que hacemos: es la manifestación de nuestra intención compartida.

Todos estamos conectados por el deseo de relacionarnos los unos con los otros. Ahora estamos compartiendo una parte de un sueño común, y esto es el sueño del planeta. Como ves, el sueño del planeta se compone de la necesidad que tenemos de compartir y comunicarnos. Podemos mantener una relación basada en el respeto o imponernos y someternos unos a otros de manera irrespetuosa con nuestra necesidad de hacer que los demás se amolden a nuestras creencias e ideales.

La persona que soy ahora es la acumulación de mis síes y noes a lo largo de mi vida, al igual que le ocurre a cada uno de nosotros. Cuando la suficiente cantidad de personas decimos sí, se activa un proceso a gran escala. Así es como el sueño del planeta se crea y actúa. Una buena forma de visualizarlo es imaginando una bandada de pájaros. Curiosamente, todos vuelan al unísono, pero en cuanto el que los lidera cambia el patrón de la bandada, los otros dicen sí y le siguen. Algunas veces la bandada de pájaros se divide en dos, cada grupo dice sí a una dirección distinta. Otras veces se vuelve a unir. Los pájaros que lo han hecho han dicho sí a esta dirección. Aplica ahora esta imagen de la bandada de pájaros a una comunidad de personas. Quienquiera que controla los síes es el que controla el sueño del planeta. Recuerda que el sueño del planeta es tan pequeño como tú y como yo, y tan grande como una nación o como el mundo entero.

A más pequeña escala, en el caso de dos personas, el que controla los síes es el que controla la relación. Por eso la gente intenta imponer sus creencias a los demás o, por el contrario, se somete al punto de vista del otro. La armonía se da cuando nos relacionamos con respeto, honrando los síes y los noes de los demás mientras construimos el sueño que compartimos.

Tanto el sueño personal como el sueño del planeta se basan en el conocimiento. Ésta es la herramienta que nos permite sobrevivir en el mundo. Pero, como veremos en el siguiente capítulo, si nuestro apego al conocimiento aumenta, se reduce nuestra habilidad para percibir la vida tal como es, con lo que nuestro potencial disminuye.

3

El conocimiento
y los apegos

Si mi apego a lo que conozco me impide ver las opciones que tengo, significa que mi conocimiento me está controlando: está controlando mi intención y, por lo tanto, está creando mi sueño personal por mí. Pero si soy consciente de mis apegos, puedo volver a tener el control y a vivir como yo elija hacerlo.

SIGNIFICADOS CAMBIANTES

«Sólo soy responsable de lo que digo, no de lo que tú oyes.»

DON MIGUEL RUIZ

Los símbolos son representaciones que nos permiten comprender las experiencias de la vida de los demás. Las palabras son símbolos cuyos significados y definiciones nos ayudan a poner en orden nuestras experiencias y comunicar aquello que sabemos. Las palabras tienen una función agradable que es a la vez muy necesaria y útil: son los símbolos principales que nos permiten comprendernos unos a otros y crear los acuerdos que forman nuestro sueño común, el sueño del planeta. Como, por ejemplo, la palabra «sol». En cualquiera de sus traducciones, es un símbolo que representa la entidad que ilumina nuestro sistema solar. En la tradición tolteca, el sol representa la creación de la vida. La Tierra es la madre, y el Sol, el padre, y la unión de ambos crea vida.

El significado de un símbolo viene del acuerdo establecido por una comunidad, cultura, nación, etcétera. Una definición se crea al llegar a un consenso, y cuando hay la suficiente cantidad de personas que decimos sí a esta representación, lo denominamos *conocimiento*.

Por ejemplo, en este momento estás sosteniendo un libro. «Libro» es un símbolo que representa el objeto que tienes en las manos. Si yo señalara con el dedo un libro, sabrías lo que es porque lo puedes ver directamente y ya lo has experimentado en el pasado. Sigues entendiendo el concepto «libro» y puedes visualizarlo por la relación tangible que has mantenido con él, aunque ni tú ni yo estuviéramos sosteniendo ahora ninguno. Acordar que un libro es un conjunto de hojas de papel encuadernadas con palabras impresas no entraña ningún problema.

Pero también hay los símbolos relativos a ideas y conceptos que cada uno manejamos de distinta manera según cuáles sean nuestras percepciones y puntos de vista. «Amor», «espíritu», «ética» son símbolos que representan conceptos que se han definido mediante el acuerdo al que se ha llegado, pero nunca los podremos comprender del todo a través de la explicación o la descripción de otros. Estos símbolos son virtuales en el sentido de que son intangibles. Cuando usamos símbolos para representar conceptos —tanto si los percibimos como buenos, malos o neutros—, estamos intentando dar forma a lo que no la tiene. Cuantas más personas acordemos darle una determinada definición a un concepto intangible, más parecerá tomar forma esta idea. Por eso nos referimos al sueño del planeta como una ilusión: el significado de los símbolos, las palabras, aquello de lo que se componen nuestras ideas y creencias sólo nos parece sólido por el acuerdo al que hemos llegado la gran mayoría de personas que formamos parte de esa sociedad o comunidad. Los componentes básicos de nuestra sociedad y de nuestra identidad como familia o como nación son maleables y están sujetos a cambios a medida que los sueños personales se unen para crear el sueño del planeta por medio de los acuerdos y los desacuerdos: los síes y los noes.

Por ejemplo, cuando una suficiente cantidad de personas se agrupan y acuerdan que una determinada conducta es inmoral, han definido lo que significa ser inmoral, y esta creencia parece volverse más sólida si crean una ley que refleje este acuerdo. Y después de crear la ley, el grupo que la ha creado etiqueta a las personas que manifiestan esta clase de conducta de «inmorales». Y castiga de acuerdo con ella a las que la violan.

Pero el consenso al que se ha llegado no es más que una ilusión, porque la idea de inmoralidad es algo virtual, no existe «en ninguna parte», sólo existe en el acuerdo mental que el grupo ha establecido. Para mantener esta ilusión, el grupo debe dar constantemente su apoyo al símbolo y a la creencia que conlleva. Este continuo apoyo es el combustible que aumenta nuestro apego a una creencia.

Como la solidez de un concepto virtual depende del acuerdo al que se ha llegado, la necesidad de que sea real puede ser abrumadora y de lo más absorbente. El apego a la creencia en forma de símbolo puede ser tan fuerte que a los que la aceptan les resulta inconcebible reemplazarla por otra. Estos símbolos nos parecen tan reales porque, además de haber aceptado estos acuerdos virtuales, podemos actuar basándonos en ellos. Cuando actuamos basándonos en nuestras ideas, parece como si las materializáramos. Pero el significado de un símbolo siempre dependerá del acuerdo de un individuo o de una sociedad.

Por ejemplo, hubo una corta época en la que un tulipán valía más que el oro. En la primera década del siglo XVII, durante la Edad de Oro holandesa, un tulipán valía diez veces más que el sueldo anual de un comerciante de clase media. La exótica flor, que llegó a Viena procedente del Imperio otomano en el siglo XVI, despertó un gran interés por su belleza y pronto se convirtió en un símbolo de posición social. Cuando una plaga diezmó la población de tulipanes y fue necesario esperar de siete a doce años para que floreciera un tulipán (los tulipanes afectados por la plaga adquirieron un aspecto aún más exótico), el precio de los bulbos se disparó y llegó a alcanzar cifras desorbitadas. A medida que se activaba el mercado de bulbos de tulipán, la gente empezó a vender sus propiedades para comprar bulbos y revenderlos a un precio más alto. Pero a estos especuladores les salió mal el negocio, porque la burbuja de los tulipanes estalló al poco tiempo y el mercado se llenó de bulbos. Cuando cambió el acuerdo acerca de los tulipanes, muchos se arruinaron y el país se sumió en una gran depresión económica. Pero el tulipán nunca dejó de ser un tulipán. Su valor económico no fue más que una ilusión. Las definiciones de esta clase de acuerdos están por naturaleza sujetas a cambios.

Al observarlo de este modo, vemos lo frágiles y efímeras que son nuestras definiciones y significados de ideas y conceptos. También vemos el gran poder que tienen. Por eso gastamos tanta energía en intentar demostrar que nuestras definiciones e interpretaciones de las cosas son correctas. Éste es el tejido del que se compone nuestra realidad.

Pero cuando nos apegamos tanto a esta realidad y a los significados de los símbolos de los que se compone, no hay cabida para el cambio ni el crecimiento. Nos descubrimos forcejeando, luchando, discutiendo con los demás (y con nosotros mismos) para mantener nuestras creencias y definiciones de cómo funcionan las cosas, nos convertimos en prisioneros de nuestras propias creencias. A través de estas creencias es como hemos creado nuestra propia historia. No es extraño que nos provoquen unas reacciones emocionales tan viscerales. Pero darnos cuenta de la naturaleza de nuestras creencias nos permite cambiar las historias que nos hemos creado sobre nosotros mismos y también nuestros acuerdos. Como el conocimiento es el puente que hace posible que podamos comprendernos los unos a los otros, es el instrumento con el que podemos crear el sueño o la realidad que queremos vivir. Nuestra intención, o voluntad, es la fuerza que da significado al conocimiento, expresado a través de nuestros cuerpos en el sueño del planeta.

Cuando expresamos algo, lo expresamos desde el punto de vista de lo que cada uno conocemos. Debes escuchar con atención, pero recibe todas las palabras y los otros símbolos con escepticismo. Cuando dejas de apegarte al significado y a la verdad percibida que adjudicas a palabras y símbolos —míos, tuyos y de otros—, puedes observarlos desde una cierta distancia y decidir por ti mismo si estos significados reflejan tu experiencia de la vida. Es más, al escuchar abiertamente a otro expresar su conocimiento sin apegarte al significado de esos símbolos, puedes entenderlos mejor.

LOS APEGOS Y EL SENTIDO DEL YO

Cuando mi familia y yo nos mudamos de Arizona al norte de California, mi hija Audrey, que tenía entonces tres años, llevaba casi un mes yendo al jardín de infancia. Como le encantaba nuestra casa de Arizona y su colegio, cuando le dijimos que nos íbamos a vivir a otra parte y que iría a un colegio nuevo, se llevó un gran disgusto. «¡No, papá! ¡Mi colegio! ¡Mi casa! ¡Es mío!», exclamó llorando.

Durante los días siguientes se aferró a todo cuanto había en su vida: a nosotros, a sus juguetes, a sus mejores amigos del colegio, incluso a la directora. Mi esposa y yo seguimos diciéndole que no se preocupara. Iría a un colegio nuevo, haría nuevas amistades y se lo pasaría en grande. Cuando la fuimos a recoger al colegio el último día, Audrey se negó rotundamente a abandonarlo y se escondió detrás de las piernas de la directora. En ese momento le presté mucha atención. Me imaginé la situación viéndola desde el punto de vista de mi hija: todo cuanto conocía estaba a punto de desaparecer. Todo su mundo iba a cambiar y no sabía quién o qué seguiría en él. Se agarró con todas sus fuerzas a su amigo Leo cuando él se le acercó. «¡Mi Leo!», exclamó llorando. Al final logramos convencerla de que era hora de irnos y dejó a su pesar de aferrarse a todo aquello que tanto había querido.

Cuando nos sentimos seguros y a gusto en nuestra zona de confort y nos acomodamos en ella con la actitud de «éste es quien yo soy», lo peor que nos podría pasar es que desapareciera un día. Y sin embargo nos pasa una y otra vez en menor o mayor grado a lo largo de nuestra vida. Cuando creo que una situación exterior debe seguir igual, tal y como es, porque así es como debe ser para que yo me sienta bien, significa que me he apegado a ella, que la estoy tomando por quien yo soy. Y si la situación cambia, y nos guste o no cambiará porque nada dura para siempre, ¿cómo reaccionaré? Si me he identificado con ella, tendré que defenderla. Tendré que discutir por ella. Tendré que recurrir a definiciones y significados. Es decir, habré creado un apego.

Sé que me he apegado a algo externo cuando me da miedo que un día cambie. Con el cambio, el mundo que conozco podría desaparecer, obligándome a adentrarme en la molesta oscuridad de lo desconocido. Pero el cambio es inevitable y se da una y otra vez a lo largo de nuestra vida: el fin de una relación, la pérdida de un trabajo, una mudanza, una nueva arruga, el encanecimiento del pelo, la pérdida de un ser querido o cualquier otra situación parecida.

Si observo todas las cosas que están ligadas a mi sentido del yo, descubriré que me he identificado con ellas. Y cuando corren peligro siento miedo, porque a través de mi apego las he interpretado como si formaran parte de mí, genero el apego para resistirme a esta posible pérdida. Al observarlo con atención, advertimos que siempre estamos defendiendo el objeto de nuestro apego de una forma u otra. En esencia, estamos defendiendo nuestra definición del yo. Esto es lo que mi hija pequeña hacía al exclamar llorando: «¡Es mío!» Lo que estaba defendiendo no era sólo el objeto de su apego, sino su sentido del yo. Me alegra poder decir que en cuanto Audrey entró en nuestra nueva casa se mostró entusiasmada. Corrió hacia su nueva habitación exclamando: «¡Mi habitación!»

El reto que te propongo es cambiar tus acuerdos, verte como un ser humano perfecto y comprender que para sentirte completo no necesitas ningún objeto, idea o conocimiento. Eres perfecto porque estás vivo en este instante, transformándote continuamente con la vida. Cuando nos consideramos perfectos tal como somos porque estamos vivos en este momento, nos liberamos. Nuestros apegos dejan de definirnos. En su lugar, el conocimiento que adquirimos se convierte en la herramienta que nos ayuda a decidir cómo deseamos vivir los sueños —el personal y el colectivo—, y cómo elegimos actuar es la manifestación de nuestra intención.

Al observar la historia de tu vida, ¿actúas condicionado por tu apego al conocimiento o usas el conocimiento para actuar siendo consciente del momento presente? Mi abuela me preguntó hace muchos años: «¿Eres tú el que controla al conocimiento o es el conocimiento el que te controla a ti?» Podrás responder a esta pregunta cuando adviertas lo apegado que estás a tu conocimiento, a tus creencias o a algo externo a ti. Cuando yo me la planteé, no sabía que el conocimiento puede hacernos extraviar y sufrir, a no ser que tomemos las riendas de nuestra vida. No supe qué responder a la pregunta de mi abuela.

Ella creía que cada apego que yo adquiriera haría que
el conocimiento me controlara a mí. Hablaba del cielo y
el infierno, de los demonios y los ángeles, de los diver-
sos niveles del apego y de las consecuencias que generan.
Éste era su lenguaje y concordaba con las experiencias y
el contexto de su vida. En el siguiente capítulo explicaré
las mismas enseñanzas mediante una analogía que refleja
nuestro sueño moderno.

4

Los cinco niveles del apego

Para empezar, describiré los niveles del apego con una analogía muy sencilla que me permitió relacionarla con mi vida: el fútbol. Pero para comprender esta analogía no es necesario que te guste el fútbol. Incluso tal vez descubras que entiendes este concepto precisamente porque no te gustan los deportes. Por otro lado, quizá refleje con precisión tu nivel de apego a un deporte o a un equipo, o reconozcas estos ejemplos en las personas de tu entorno. Recuerda que puedes aplicar el significado de la analogía a cualquier situación de tu vida.

PRIMER NIVEL: EL YO VERDADERO

Imagínate que te gusta el fútbol y que puedes ir a ver un partido en cualquier estadio del mundo. Puede ser un estadio magnífico o uno lleno de suciedad. Los futbolistas pueden ser geniales o mediocres. Pero no eres de ningún equipo. Te da igual quiénes son los equipos que se enfrentan. En cuanto empieza el partido, te sientas en las gradas, lo miras y disfrutas de los noventa minutos reglamentarios. Simplemente te diviertes mirándolo tal como es. Aunque los jugadores usaran una lata en lugar de un balón, seguirías disfrutando de los altibajos del partido. En cuanto el árbitro pita anunciando el final —la victoria o la derrota—, te olvidas del partido. Sales del estadio y sigues con tu vida.

A este nivel, disfrutas del momento sin apegarte a él. Te has implicado lo justo para decidir ir a ver un partido de fútbol o mirarlo por la tele. Eres tú controlando el conocimiento. Has experimentado la forma más pura de gozo, la que surge de tu puro deseo de experimentar la vida sin condiciones.

SEGUNDO NIVEL: PREFERENCIA

En esta ocasión vas a ver el partido —en cualquier estadio del mundo, sea cual sea el equipo que juegue—, pero ahora te decantas por un equipo. Has visto que si te implicas un poco más identificándote con una preferencia la montaña rusa emocional hace que el partido sea más excitante. Eliges el equipo al que apoyarás basándote en cualquier cosa: desde el color de las camisetas hasta los nombres de los futbolistas. O tal vez te decantas por el equipo local. Te pasas el partido de fútbol animando a un equipo, pero sin ir en contra del otro. Y al salir del estadio te olvidas del partido. A este nivel has invertido una pequeña parte de ti en él. Te has apegado a algo, por arbitrario que haya sido, basándote en tus decisiones y acciones relativas a este apego. Has tenido una preferencia por un equipo.

Has creado la historia de una victoria o una derrota que ha condicionado la experiencia, pero la historia no tiene nada que ver contigo, porque trata del equipo de fútbol. Te has implicado en el partido y con las personas de tu alrededor, pero cuando acaba te dices simplemente: «Me lo he pasado bien», y dejas de apegarte al episodio. Esta capacidad de apegarte y desapegarte fácilmente te permite manifestar una parte emocional tuya que disfruta con los altibajos de un gran partido. La vida está teniendo lugar y tú la compartes con los que te rodean, al margen de cómo ellos se vean a sí mismos.

Tercer nivel: identidad

Esta vez eres fan de un equipo. Los colores de tu equipo te hacen emocionar. Cuando el árbitro pita el final del partido, el resultado del mismo te afecta a nivel emocional. Es *tu* equipo favorito. Seguirías yendo a cualquier estadio o campo de fútbol del mundo, pero nada es comparable a ver jugar a tu equipo. Tu equipo, gane o pierda, define en parte tu carácter más allá de los noventa minutos del partido. Cuando gana, te sientes loco de alegría, y cuando pierde, te llevas una gran decepción. Pero, con todo, el resultado de tu equipo de fútbol no es una condición para aceptarte a ti mismo. Y si pierde, aceptas la derrota mientras felicitas a los del equipo contrario. Aceptas las victorias y las derrotas como parte de la montaña rusa emocional que hace que la vida sea interesante, pero tu autoestima no se basa en esos resultados. Si te encuentras con un hincha del equipo contrario, además de verlo como un aficionado al fútbol, lo ves como un ser humano con quien estarías dispuesto a compartir una cerveza. No te importaría quedar con él para charlar de fútbol y sobre lo bueno que crees que es tu equipo. Hasta podrías admitir que su equipo también te parece muy bueno. Tus sentimientos y opiniones sobre tu equipo no condicionan cómo te relacionas con los demás o contigo mismo.

A este nivel, el apego a tu equipo empieza a afectar tu vida personal fuera del estadio al relacionarte con el mundo como un hincha. La separación no es tan clara como en el caso de los dos primeros niveles. En el tercer nivel, esta cultura, este equipo, se ha vuelto una pequeña parte de tu identidad. Después de transcurrir el partido o el momento, sigue formando parte de quien crees ser. Te llevas el conocimiento contigo y este equipo de fútbol empieza a condicionar algunas parcelas de tu vida, llegando a otros aspectos que no tienen nada que ver con él. Por ejemplo, si tu equipo de fútbol pierde, tienes un mal día en el trabajo, discutes con alguien sobre qué o quién es el responsable de que haya perdido o te sientes triste a pesar de las cosas buenas que te rodean. Sea cual sea el efecto producido, dejas que un apego te cambie. Tu apego invade un mundo que nada tiene que ver con él.

CUARTO NIVEL: INTERIORIZACIÓN

Siguiendo con la analogía deportiva, en el cuarto nivel tu relación con tu equipo de fútbol favorito se ha convertido en parte de tu identidad. La historia de las victorias y derrotas ahora trata de *ti*. El resultado de tu equipo afecta tu autoestima. Cuando lees la clasificación de los equipos, reprendes a los futbolistas por *habernos* dejado en tan mal lugar. Si el equipo contrario gana, te enojas por que te *han* ganado. Si tu equipo pierde, te sientes desconsolado e incluso puedes justificar la derrota con alguna excusa. ¡Y nunca se te ocurriría ir a un bar con un hincha del equipo contrario a charlar de fútbol! Hasta es posible que te desvivas por encontrar más información sobre los futbolistas. Por otro lado, cada palabra de elogio que recibe tu equipo la sientes como si te la dirigieran a ti. Ahora no sólo has llevado a tu equipo a tu hogar, sino que forma parte de ti y condiciona tu identidad por tu creencia de lo que significa ser un «auténtico» hincha.

Aunque el equipo de fútbol —la «parte de conocimiento» en esta historia— no tenga en realidad nada que ver contigo, tu propia valía está relacionada con tu apego. La línea que separa este apego tuyo de tu vida es tan fina que todo empieza a girar en torno a este equipo. A ver si los otros hinchas también están a la altura, te dices, porque representan los colores de tu equipo, y esos colores son muy importantes en tu vida. A ver si saben lo que significa ser un hincha de verdad, porque de lo contrario no merecen serlo. Te descubres discutiendo fuera de los círculos deportivos lo increíble que es tu equipo. Crees que todos los que no piensan como tú están equivocados. En este punto has pasado de identificarte con la creencia a interiorizarla. Cuando te relacionas con los hinchas del equipo contrario, discutes y gritas, pero sin llegar a las manos. Aún eres capaz de controlarte hasta el punto de sólo discutir. Pese a tener algunos amigos que no son aficionados al fútbol, prefieres un millón de veces más estar en compañía de los que piensan como tú. A medida que tu apego aumenta quizá te pongas como condición no relacionarte con nadie que no sea de tu equipo de fútbol. Es decir, has interiorizado tu apego hasta tal punto que se ha convertido en condición para aceptarte a ti mismo. Empiezas a imponer esta imagen a los seres queridos y también a las personas con las que te relacionas en la vida cotidiana.

QUINTO NIVEL: FANATISMO

A este nivel adoras a tu equipo de fútbol. ¡Llevas sus colores en la sangre! Si ves a un hincha del equipo contrario, lo consideras al instante tu enemigo porque debes defender el escudo de tu equipo. Ésta es tu tierra y los otros deben ser subyugados para que vean que tu equipo es el *auténtico*, los demás no valen nada. Lo que ocurre en el campo lo dice todo de ti. Ganar campeonatos te convierte en mejor persona y siempre hay una teoría conspiratoria que te impide aceptar una derrota como legítima. Ya no hay ninguna separación entre ti y tu apego. Eres una prolongación de tu equipo, un hincha los 365 días del año. Tu familia tiene que llevar la camiseta de tu equipo, y como no sean de él, ¡van a ver! Si alguno de tus hijos fuera hincha del equipo contrario, lo desheredarías. *¡Lárgate de casa!* En el quinto nivel tu familia se podría dividir y destruir fácilmente si cualquiera de sus miembros le volviera la espalda al equipo. Las personas con las que te relacionas no significan nada para ti a no ser que crean en él. Cada acto tuyo, cada decisión que tomas debe basarse en las reglas de lo que según tú es ser un gran hincha. Eres incapaz de ver algo desde el punto de vista de alguien que no comparta el amor que sientes por tu equipo. Si lo hicieras te considerarías un traidor según tu propio modelo. En el tercer y el cuarto nivel aún tienes amigos a los que no les gusta el fútbol, pero en el quinto no pierdes el tiempo con gente a la que no le apasione este deporte. ¡Son unos ignorantes! Eliges no incluirlos en tu vida y estás dispuesto a luchar por lo que crees. Tu creencia se vuelve más importante que la experiencia. A medida que tu apego aumenta, puedes llegar al extremo de perder incluso el respeto por la humanidad. A tus ojos un hincha que se precie de serlo debe estar dispuesto a morir y a matar por su equipo. Ni siquiera te importa el pitido del árbitro anunciando el inicio o el fin del partido. O si los jugadores juegan a fútbol. El símbolo y los colores de tu equipo son más importantes que tu propia vida o que la de otro.

Cuando creemos en algo sin dudarlo, nos arriesgamos a apegarnos al nivel más extremo, y esto puede suceder en los lugares más impensados. Concluiré con dos ejemplos reales por si te costara entender la analogía futbolística a este nivel de apego. Al final de la temporada futbolística europea, un club de fútbol muy famoso bajó a Segunda División. Después de presenciar la derrota final del equipo, un hincha regresó a su casa y se ahorcó. La vida no tenía sentido para él si su equipo no estaba en la Liga de Primera División. En otro ejemplo, un conductor de autobús se disgustó tanto al perder su adorado equipo la final de la Liga de Campeones que embistió con el autobús a un grupo que llevaba la camiseta del equipo ganador. Cuatro personas murieron por llevar una camiseta con los colores «indebidos». El apego a su equipo de fútbol era tan descomunal que llegó a matar por él.

Por fortuna, los asesinatos y los suicidios debidos a la derrota del equipo de fútbol preferido son muy inusuales. Pero cuando se trata de temas como la religión, la política o de nuestras ideas acerca del dinero, el sexo y el poder, abundan los ejemplos de un apego a este nivel. Lo oirás en las noticias de cualquier canal. Es importante comprender que cuando nosotros, o cualquier otra persona, nos apegamos a una serie de creencias a este nivel es fácil no ver la humanidad de una persona, ya que para nosotros no es más que la personalización de una idea contraria a la nuestra.

En el primer nivel, en cualquier iglesia, sinagoga, templo o mezquita encontrarás y sentirás el amor y la gracia de Dios. Pero en el quinto nivel, Dios no es más que el objeto de devoción en el que se centra la religión, es decir, la religión es más importante que Dios. Imagínate la espiritualidad, los remedios homeopáticos o el veganismo. Aplica los niveles del apego a las razas, el origen étnico o la orientación sexual. Aplícalos al amor. Si aplicas los cinco niveles del apego a cualquier clase de información, verás que de pronto las consecuencias se vuelven mucho menos triviales.

Aunque el fútbol sea una buena introducción a los cinco niveles del apego al descomponer el concepto en partes comprensibles, lo esencial es ver cómo actúan en tu vida. A medida que los vaya explicando en detalle en los siguientes capítulos, reflexionarás sobre lo apegado que estás a tus diversas creencias. Aprenderás a reconocer cuál es tu nivel de apego a cada una, pero no para juzgarte, sino para conocerte mejor. Así podrás cambiar tu perspectiva, ver el potencial que hay más allá de tus creencias y advertir que tu interpretación del amor y el respeto cambian mientras que la intensidad de tus apegos dismi-

nuye. Por último, a medida que leas los siguientes capítulos, no te olvides de la pregunta de mi abuela: «¿Eres tú el
que controla el conocimiento o es el conocimiento el que
te controla a ti?»

5

Primer nivel:
el yo verdadero

«¿Eres tú el que controla el conocimiento o es el conocimiento el que te controla a ti?»

Soy un ser vivo independientemente de mi conocimiento, que existe sólo porque yo existo.

El primer nivel del apego representa el yo verdadero, el
ser vivo que es el pleno potencial de la vida. Describe esa
fuerza que, además de animar al cuerpo, le da vida a nuestra mente y a nuestra alma. El yo verdadero siempre está
presente y son nuestros apegos los que nos impiden recordar quiénes somos realmente. Desde este estado, nuestro
nombre no es más que un símbolo vacío cuya definición o
significado depende de nuestro acuerdo: el acto de adoptar este acuerdo es la primera expresión del «yo».

Cuando nacimos, nuestros padres nos levantaron en alto y nos sostuvieron en sus brazos. Se imaginaron infinitas posibilidades para nosotros movidos por su amor. Vieron el potencial ilimitado de nuestro yo verdadero: la fuerza vital que actuaría en cualquier dirección que llevara a estas posibilidades. Pero a medida que crecíamos, estas posibilidades disminuyeron al tiempo que nuestra visión de lo que éramos capaces de hacer y de ser se reducía debido a nuestros apegos, hasta creer que teníamos muy pocas opciones en la vida. Pero lo cierto es que hemos sido nosotros mismos los que nos hemos reducido las posibilidades. Sí, es verdad que el sueño del planeta nos las puede reducir si deseamos jugar con sus reglas, pero los acuerdos que hacemos con nosotros mismos son primordiales cuando se trata de manifestar nuestro intento, ya que un simple no en nuestra mente puede impedirnos cualquier clase de acción. Éste es el enorme poder de los acuerdos.

Nunca hemos dejado de tener el potencial que nuestros padres imaginaron cuando éramos niños. Lo que sucede es que ahora, como adultos, sabemos controlar no sólo el cuerpo sino también la mente. Para ser nuestro yo verdadero, no necesitamos ningún conocimiento, y darnos cuenta de ello es lo que nos permite usar el conocimiento mientras nos involucramos en el mundo, usando el cuerpo y la mente como vehículo para actuar en la vida.

Es la maravillosa relación simbiótica de acción/reacción a través de la cual podemos experimentar un vínculo, una comunión, entre nosotros y toda la creación. En cualquier tradición podemos oír las lecciones de hombres y mujeres sabios que nos enseñan la belleza de la vida y a liberarnos de las ilusiones, recordándonos nuestra verdadera esencia. Es ese momento de armonía con todo en el que la energía de la vida fluye a través de nosotros. Cada religión y cada tradición espiritual le ha dado un nombre al momento en el que descubrimos que no hay más que armonía. En la tradición tolteca lo llamamos *estar en constante comunión con nuestro creador*. Lo único que nos separa de los demás es nuestra percepción del mundo, juntos formamos un todo.

Involucrarnos es el acto de relacionarnos con el objeto de nuestra atención. Cuando nos involucramos en la vida, nos apegamos en mayor o menor grado, como una flor que se está continuamente abriendo y cerrando con el paso de los días. A veces, cuando nuestro apego aumenta, no somos conscientes de él, y otras veces, al desapegarnos, recordamos nuestra verdadera esencia. Pero sea cual sea el nivel de nuestro apego, siempre somos nuestro yo verdadero, lo que sucede es que lo olvidamos cuando los niveles del apego suben.

La práctica de ser conscientes nos permite adquirir una cierta disciplina, tener más fuerza de voluntad para permanecer durante más tiempo en un estado de armonía... si elegimos hacerlo. Muchas tradiciones religiosas y espirituales del mundo han creado disciplinas que fomentan esta armonía, como la oración, la meditación, el yoga, los cánticos y la danza, entre muchas otras. Este conocimiento es un instrumento de transformación y experimentarlo es la manifestación del yo verdadero.

Antes creía que los más grandes maestros del mundo de cualquier tradición eran los mejores ejemplos del yo verdadero. Pero ahora me doy cuenta de que todas las personas que conozco y veo son la personificación del yo verdadero. Todos estamos creando, produciendo, aprendiendo, involucrándonos en la vida y amándola. Somos la personificación de la vida, siempre somos el yo verdadero. La única diferencia es que elegimos percibirlo en nosotros mismos y en los demás.

Hay un momento en el que el yo verdadero deja de ser una palabra abstracta y se convierte en una experiencia. Creo que todos hemos vivido un momento como éste. Puede haber sido al meditar, mientras pintábamos o bailábamos, mientras trabajábamos o hacíamos ejercicio, en una conferencia o hablando, o cuando hacíamos el amor, comíamos o jugábamos. Son los momentos en los que al dejar de juzgar surge la pura armonía.

En mi caso, cruzo el umbral donde el concepto se convierte en experiencia mientras hago *jogging*, normalmente después de llegar a la señal que indica que he recorrido un kilómetro y medio. Es el punto donde dejo de pensar sobre la ruta, el ritmo o incluso el dolor de mis piernas. Es un momento en el que siento una gran calma y la noto en mi respiración, en mis zancadas y a mi alrededor. De pronto mi mente se silencia, vivo con plenitud el momento, y sé lo que estoy haciendo exactamente sin necesidad de pensar. En este estado, incluso el término «yo verdadero» desaparece, junto con el resto de mis pensamientos. Simplemente estoy vivo y gozo de absoluta libertad para quererme a mí mismo y querer a cualquiera que yo elija. No necesito distorsionar la información que percibo, porque mi visión de la vida está libre de cualquier apego. El yo verdadero es la armonía de la mente, el cuerpo y el alma como expresión de la vida. Contar la historia del yo verdadero es contar la historia de la vida, independientemente de dónde pueda estar la humanidad en forma de plena consciencia personal.

A este nivel somos libres de elegir cómo queremos involucrarnos en el sueño del planeta. Saber que somos el ser vivo que da vida a nuestras creencias, a nuestro conocimiento, nos permite elegir con absoluta libertad adónde queremos dirigir nuestro intento y qué deseamos crear durante el tiempo que decidamos hacerlo con nuestro acuerdo. Al ser plenamente conscientes de nuestro intento podemos ejercer nuestra voluntad. El conocimiento está vivo en nuestra mente precisamente porque estamos vivos, y este conocimiento es la herramienta con la que podemos comunicarnos con el resto del mundo.

En este estado de armonía tenemos el potencial para amar incondicionalmente porque nos aceptamos sin ninguna condición y estamos dispuestos a amar respetándonos a nosotros mismos y a los demás. En el primer nivel, el del yo verdadero, si alguien nos dice o nos hace algo ofensivo, no nos afectará. Sus palabras y acciones se desprenderán de nosotros como si de prendas holgadas se tratara, porque no habrá nada a lo que se puedan agarrar. Al no basarse nuestro amor en una conducta que nos parece correcta o aceptable, amamos a esa persona incluso en tales casos. En este estado, cualquier posibilidad está a nuestro alcance: somos libres para evolucionar mientras la vida evoluciona y para relacionarnos con los seres queridos sin necesidad de domesticarlos al imponerles nuestro punto de vista.

6

Segundo nivel: preferencia

«¿Eres tú el que controla el conocimiento o es el conocimiento el que te controla a ti?»

Uso el conocimiento como la herramienta con la
que expreso mis preferencias en la vida.

En el segundo nivel del apego aún somos conscientes
del yo verdadero. Sabemos que podemos apegarnos al
momento presente, pero también dejamos de apegarnos
a él cuando el momento ha pasado. Nos vemos como un
reflejo de la vida en el sueño del planeta, y nos apegamos
y desapegamos fácilmente al reconocer este reflejo y desprendernos de él.

Te pondré un ejemplo. ¿Te acuerdas cuando de niño
jugabas a ser personajes imaginarios? Recuerdo que antes

de empezar a jugar decidíamos el papel que haría cada uno. Luego sacábamos de nuestro conocimiento lo que necesitábamos para crear una máscara parecida a la del papel del personaje. Después hacíamos el papel de aquella persona. La cara nos cambiaba en cuanto empezábamos a representarlo y adaptábamos nuestra conducta para que encajara en el campo de batalla, la peluquería, la cena, el hospital o incluso la jornada en el despacho. Estos juegos eran tan divertidos porque usábamos la imaginación y representábamos nuestro papel para crear un mundo de fantasía en el que nos relacionábamos unos con otros en distintos escenarios, como si estuviésemos jugando en un sueño estando despiertos. Pero por más bien que nos lo pasásemos jugando a este juego con los amigos y la familia, cuando se terminaba nos sacábamos la máscara creada con nuestro conocimiento y volvíamos a ser nosotros mismos.

En el segundo nivel, sabemos que el conocimiento es una herramienta que nos aporta la información necesaria para decidir dónde deseamos poner la atención y actuar. Pero en este nivel no distorsionamos la información percibida y la usamos sólo para ese momento. Elegimos adaptarnos a la situación presente sin dejar de ser conscientes de nuestro yo verdadero, sin necesidad de proyectar una imagen falsa del yo. En la tradición tolteca lo llamamos *desatino controlado:* ser conscientes del yo verdadero y honrarlo mientras nos relacionamos con las personas de nuestro alrededor que proyectan en nosotros una imagen o una máscara. Al ser conscientes de ello, advertimos la tentación de apegarnos a la máscara proyectada y, al mismo tiempo, conservamos la lucidez. A este nivel del apego no nos olvidamos de estar participando en un juego, con lo que, en cuanto éste termina, nos es más fácil dejar de apegarnos a la máscara.

Esta plena conciencia nos permite vivir sin necesidad de distorsionar el conocimiento para que se adapte a nuestros puntos de vista, a nuestros apegos, y por eso en esta etapa el conocimiento sigue siendo nuestro aliado. No lo corrompemos con nuestro sentido de la propia valía o con cualquier forma de amor condicional. Nuestra relación con el conocimiento nos ayuda a vivir la vida tal como es: con nuestro raciocinio hacemos elecciones sabiendo distinguir la verdad de la distorsión, y nuestro conocimiento es un reflejo claro y perfecto de la vida.

Desde el punto de vista tolteca esto es el *espejo claro:* vemos cada situación tal y como es, sin oscurecerla con una nube de humo. Sabemos que el conocimiento es el reflejo perfecto de la vida y nosotros somos vida. Sabemos que vivir la vida es un acto de amor, y cómo elegimos el camino que queremos tomar y cómo queremos vivir, constituye un acto de amor incondicional hacia nosotros mismos. Al abordar la vida como una obra de arte basándonos en el amor que sentimos hacia nosotros mismos, somos capaces de amar incondicionalmente a las personas que forman parte de nuestra vida tal como son, sin necesidad de domesticarlas para que vean el mundo desde nuestro punto de vista. A este nivel del apego siempre está presente el respeto a la manifestación de los sueños personales de nuestros seres queridos, tanto si estamos de acuerdo como si no con sus decisiones. Al querernos a nosotros mismos, somos capaces de querer a los demás. Después de todo, no podemos dar o compartir lo que no tenemos.

Cada pensamiento y cada idea de nuestro sistema de creencias tienen poder sólo por los acuerdos a los que hemos llegado en forma de síes o de noes, y constituye nuestra preferencia de cómo queremos involucrarnos en el sueño del planeta y en la vida.

La palabra *tolteca* significa «artista» y la vida es el lienzo para plasmar el arte tolteca. Sé que el conocimiento es un instrumento que me permite interactuar con el mundo y mis síes y noes son las cinceladuras o las pinceladas con las que creo mi obra de arte. He decidido seguir la tradición tolteca sabiendo que la palabra *tolteca* se refiere a una acción o acuerdo que pertenece a una filosofía. Pero aunque no me llamara a mí mismo tolteca, el acuerdo que establecí o las lecciones que aprendí de esta tradición oral no menguarían, porque mi acuerdo no está supeditado a una identidad, mi conocimiento no es en forma de una máscara que le dé sentido a mi definición del yo. Soy libre de decidir estar de acuerdo o no con la filosofía tolteca, de analizarla y de seguir su filosofía o la de cualquier otra tradición hasta el extremo que yo quiera. Soy libre de relacionarme e implicarme con personas que prefieran otra tradición o filosofía. Puedo cambiar de opinión cuando ya no esté totalmente de acuerdo con la tradición tolteca o estar de acuerdo con ella toda mi vida. Al igual que ocurre con cada creencia que tengo: puedo conservarla tanto tiempo como desee, sabiendo muy bien que soy un ser vivo con pleno potencial para experimentar la vida con o sin este acuerdo. Por eso mis acuerdos son tan poderosos, los hago porque quiero. Éste es mi arte, mi acuerdo: para experimentar la vida en su verdad siempre cambiante con amor.

Piensa, por ejemplo, en una mujer que elige comer saludablemente y que después de informarse a fondo decide que su preferencia es seguir una dieta vegana, una dieta sin productos animales. Aunque use este conocimiento para hacer una elección dietética, no lo utiliza para identificarse con el concepto «vegana», ni para domesticarse a sí misma o a los demás. Si decide comerse un helado, puede hacerlo sin juzgarse y volver después a su dieta vegana si así lo decide. Usa el conocimiento para expresar su preferencia alimenticia sin dejar de ser consciente del yo.

Cambia ahora el ejemplo de una dieta vegana por un estilo de vida que decidas adoptar. ¿No es más que una preferencia tuya o constituye un marco rígido con el que juzgas tu propia valía? Si es lo último, significa que tu nivel de apego no es el de una preferencia, sino mayor.

Nuestra atención le da una dirección al puente que nos permite expresar y compartir nuestro conocimiento de la vida con los demás: los acuerdos por medio de los cuales establecemos nuestras relaciones y expresamos nuestras preferencias. Al ser conscientes de ello, el conocimiento sigue siendo un puente de comunicación entre nosotros, no es más que una base mientras construimos el sueño colectivo. En nuestro sueño compartido, mi preferencia es mantener esta relación en este momento y amar a todo el mundo, y también a mí mismo, incondicionalmente.

7

Tercer nivel:
identidad

«¿Eres tú el que controla el conocimiento o es el conocimiento el que te controla a ti?»

Me identifico con mi conocimiento, pero lo uso
para ver y comprender el mundo.

Tenemos la necesidad de ponerles nombre, describir y
comprender las cosas con las que nos relacionamos en la
vida. El conocimiento nos ayuda a comprender el mundo
y el universo, pero cuando se trata de comprenderse a
uno mismo, nuestra identidad es un símbolo con el que
podemos disfrazarnos al expresar nuestro conocimiento.

Desde el punto de vista del conocimiento, la identidad es el sentido básico del yo que nos permite tener

nuestro lugar en el sueño del planeta, nos da un punto de referencia con el que nos identificamos y relacionamos unos con otros. Pero esta identidad es una máscara que nos impide ver el yo verdadero, a este nivel el apego surge cuando nos identificamos con nuestro conocimiento.

En la tradición tolteca el espejo es aún un reflejo claro en el nivel de la identidad, pero es aquí donde empezamos a dejar de ver la línea que separa la vida del reflejo en el espejo. En este punto es cuando comenzamos a tomar el reflejo por la verdad.

En el sueño del planeta la condición principal para la aceptación es que nuestra propia identidad sea reconocida en un mundo de siete mil millones de almas. Aunque no nos hayamos domesticado a nosotros mismos al formar esta identidad (la domesticación se da al cuarto nivel, el de la interiorización), al adoptarla esperamos que los demás nos entiendan y al mismo tiempo deseamos entendernos también a nosotros mismos. Al querer que el sueño del planeta nos oiga, nuestra voz adopta una identidad para expresarse, o al menos eso es lo que creemos.

Cuando usamos el conocimiento para construir el sueño colectivo o el sueño del planeta, nuestra identidad es la máscara con la que el sueño del planeta nos entenderá. Al hablar de mente a mente, el conocimiento reconoce al conocimiento, y por eso nos apegamos a la máscara de nuestra identidad. En este nivel nos olvidamos de que la máscara de nuestra identidad es un símbolo vacío, como una palabra cuya definición está supeditada al acuerdo que hemos adoptado y al uso del conocimiento en el sueño del planeta. Al igual que una lengua cambia con el tiempo, la máscara de nuestra identidad también cambia.

A medida que nos apegamos cada vez más a nuestra identidad, el conocimiento y el consenso al que hemos llegado se vuelven muy importantes para nosotros, hasta el punto de darle sentido a la vida. Creamos la máscara de nuestra identidad al personificar el conocimiento adquirido en forma de nuestra pasión. Es una máscara basada en nuestras preferencias en la vida.

Cualquier persona que conocemos tiene un nombre y una identidad con un significado que concuerda con él. La identidad se puede basar en cosas como el color de la piel, la nacionalidad de la familia, la religión que practicamos, el partido político que mejor refleja nuestras creencias, el equipo deportivo cuyas victorias y derrotas vivimos con emoción, el trabajo que desempeñamos a diario y las actividades que nos encanta hacer. Nuestro nombre e identidad nos dan una razón de ser y una sensación de pertenencia.

Por ejemplo, piensa en las personas que conoces y en la identidad que han asumido o que les has adjudicado: Patty la Profesora, Scott el Bombero, el vecino Pepe de la Puerta de al Lado, José el Hermano. ¿Cuántas identidades has adoptado tú? ¿Cómo representas estas identidades en el mundo? En el tercer nivel, tomas estas identidades por quien eres realmente.

En la adultez seguimos teniendo la capacidad de jugar a ser personajes imaginarios como hacíamos de niños, es decir, podemos crear una máscara basada en nuestro conocimiento de cómo implicarnos unos con otros en un escenario en particular. Pero en esta etapa la máscara se convierte en una forma de adaptarnos socialmente y de relacionarnos con el grupo con el que estamos interactuando, nos hemos olvidado de que no es más que una máscara… ¡Creemos que *somos* nuestra máscara!

Volviendo a la metáfora deportiva, piensa en las personas que no son futboleras pero que participan de todos modos en la celebración de la Copa de Europa. Saben que es divertido y excitante invertir una parte suya en el fútbol y se decantan por un equipo subiéndose con fruición a la montaña rusa del fútbol. Pero en cuanto termina el partido, tanto si su equipo favorito ha ganado como si ha perdido, en este nivel de la preferencia (segundo nivel) salen del estadio sin apegarse al momento que acaban de vivir.

Compáralo ahora con los hinchas que durante varios días están de un humor de perros si su equipo de fútbol pierde o en la gloria si gana. Como se han olvidado de sacarse la máscara, su apego pertenece al tercer nivel. En el nivel de la identidad, el yo verdadero está cubierto por la máscara del apego en forma de identidad.

A este nivel del apego nos sentimos de maravilla cuando nuestro equipo gana o cuando todo nos sale como deseamos, pero como la vida nos enseña, lo que sube acaba bajando y ningún equipo gana siempre. Por eso a este nivel del apego sufrimos de manera inevitable, porque no siempre conseguimos lo que queremos, y en lugar de tener una preferencia y de olvidarnos al cabo de poco del asunto si no se cumple, a este nivel nos hemos apegado.

Retomando el ejemplo de la mujer vegana. A este nivel se llama a sí misma vegana, el símbolo de su preferencia, incluso fuera del contexto de las comidas. Su identidad como vegana le da sentido a su vida y un lugar en su comunidad, y las decisiones que toma reflejan su identidad como vegana. Si decide comerse un helado, tal vez se sienta decepcionada por su elección, pero al poco tiempo se perdonará olvidándose del asunto. Para aceptarse a sí misma no se impone unas condiciones excesivas basadas en su identidad, ni les exige a sus amigos y a su familia que sean veganos si desean formar parte de su vida. Respeta las manifestaciones de los sueños personales de los demás tanto como la suya.

Éstas son las características del tercer nivel: nos hemos puesto la máscara de la identidad y nos hemos olvidado de que es una máscara. Olvidarnos de quiénes somos realmente, del yo verdadero, nos hará sufrir, aunque no de manera desmesurada.

En el siguiente nivel, el de la interiorización, nuestro apego al conocimiento se vuelve más fuerte, se da la domesticación, y sufrimos y hacemos sufrir a los que nos rodean.

8

Cuarto nivel:
interiorización

«¿Eres tú el que controla el conocimiento o es el conocimiento el que te controla a ti?»

Mi identidad, en forma de mi conocimiento, establece las reglas y pautas con las que vivo mi vida.

El cuarto nivel del apego, el de la interiorización, describe un grado de apego al conocimiento en el que nuestra identidad se convierte en el modelo que tomamos como referencia para aceptarnos. Es la domesticación por medio del apego.

En este nivel, las voces en nuestra cabeza empiezan a establecer las condiciones con las que domesticamos nuestra identidad. Evalúan nuestra aceptación y rechazo hacia nosotros mismos y los demás basándose en las creencias que usamos para crear la máscara de nuestra identidad. Distorsionamos la información recibida para reafirmar las condiciones de lo que esperamos de la vida. Las voces en nuestra cabeza reflejan también nuestra necesidad de validar quiénes somos en nuestro sueño personal y el rostro que le presentamos al sueño del planeta. Nuestro conocimiento está corrompido, ya no es un reflejo claro sino un Espejo Humeante.

Nuestro sentido del yo es la personificación de nuestras creencias y nuestra voluntad está dominada por la necesidad de encajar en el sueño. Por eso la máscara no tiene por qué ser en forma de nuestra pasión, sino que nos ponemos la que creemos necesitar para ser aceptados.

En este nivel del apego nos centramos en interiorizar una versión idealizada de nuestra identidad y proyectamos una imagen falsa del yo para asegurarnos de ser aceptados. Es el resultado directo de nuestra domesticación por medio del amor condicional. La aceptación es el premio de la domesticación, y el rechazo es el castigo. Aunque estas condiciones para aceptarnos y rechazarnos a nosotros mismos no sean tan rígidas como las del siguiente nivel del apego, las aprendemos y adoptamos al interactuar constantemente con los demás. Usamos estas condiciones como indicadores para aceptar y rechazar a los demás, pero también (y sobre todo) a nosotros mismos. Nos apegamos al propio mecanismo de aceptación y rechazo, el cual corrompe el conocimiento para que se adapte a nuestro sentido del yo y condiciona cómo nos relacionamos con la vida. En este punto, hemos perdido el respeto por nosotros mismos y los demás y el amor condicional es lo único que conocemos.

Un día después de visitar Teotihuacán, en México, decidí regresar a la habitación del hotel para descansar un par de horas. Encendí el televisor justo en el momento que daban un programa donde dos mujeres jóvenes rastreaban de arriba abajo una playa de México en busca de «la persona mejor y peor vestida de toda la playa». Ambas vestían con mucho estilo y, mientras caminaban muy seguras de sí mismas por la playa, criticaban y ridiculizaban a cualquiera que a su juicio careciera de estilo. La cámara enfocaba con el teleobjetivo un primer plano de los desprevenidos turistas en sus poco favorecedores pantalones cortos. En aquella parte de la playa parecía que todo el mundo fuera a sacar un suspenso, las dos presentadoras eran por lo visto las únicas que iban bien vestidas. Pero hacia el final de la playa se toparon con una mujer que les pareció que vestía incluso mejor que ellas. Una de las presentadoras se acercó a la estilosa dama y la colmó de elogios y le pidió que compartiera su sabiduría sobre la moda. La actitud de las presentadoras cambió radicalmente: dejaron de ser unas jueces despiadadas para convertirse en sumisas seguidoras.

Mientras veía el programa me vinieron a la mente mis años de adolescente en los que cruzar el pasillo del instituto se parecía mucho a este programa televisivo. Yo había sido tanto el criticado como el que criticaba, basándome en una imagen en la que la adulación era una expresión de aceptación. Me acuerdo de lo molesto que era ser el centro de atención por no cumplir con los criterios de un grupo, y de lo superior que me sentía cuando era yo el crítico en el grupo con el que me identificaba.

Esta clase de conducta no sólo se da con relación al aspecto o a la moda, sino también en los círculos espirituales, en el lugar de trabajo y en muchas otras esferas de la vida. El mecanismo de nuestro amor condicional —el de juez y víctima— lo dominan muchas personas.

He visto a mucha gente usar la identidad de tolteca como catalizador para su propia domesticación al transformar los acuerdos de libertad personal en condiciones de aceptación, llegando incluso a rechazar a los que seguían una tradición distinta de la nuestra. Sea cual sea la creencia, el apego que surge a este nivel acaba corrompiéndola.

Volviendo al ejemplo de la dieta, pongamos que la mujer que se llama a sí misma vegana usa ahora su identidad como catalizador para su amor condicional. Para merecer su amor debe ser una vegana estricta sin saltarse nunca esta dieta, de lo contrario se juzga duramente a sí misma. Se rodea de otras personas veganas que confirman lo bueno que es serlo al aceptarse y juzgarse a sí mismas y a los demás midiéndose con este listón. Limita el trato con las personas de su vida que no son veganas e intenta domesticar a los seres queridos para que cambien de dieta, compadeciéndose de ellos por no compartir su punto de vista. Así que siempre está en conflicto con los puntos de vista distintos al suyo. Sigue una dieta sana, pero se impone a sí misma y a los demás el conocimiento que va ligado a su preferencia en la vida. La máscara de su identidad refleja la pasión de su yo verdadero, pero el humo ha ido creando una imagen distorsionada de esta verdad a medida que la domesticación se producía.

La mentalidad de juez y víctima sólo trae infelicidad. Para estar a la altura de estas condiciones y ser aceptados, ocultamos quiénes somos realmente no sólo a los demás, sino también a nosotros mismos. Estamos de lo más confundidos, creemos que la máscara que hemos creado es quienes somos. Creamos lo que nos parece que es una imagen aceptable para el amor condicional, al margen de cuál sea nuestra pasión y preferencia en la vida, y proyectamos esta imagen sólo para ser aceptados. Esta situación me recuerda a un *luchador* profesional mexicano que está siempre compitiendo para hacerse rico y famoso. Mientras intenta impedir que su contrincante le arranque la máscara que lleva puesta para que el público no descubra su verdadera identidad, procura sacar la de su oponente para que la suya luzca más aún con el esplendor de la victoria.

El apego a este nivel crea desarmonía entre la mente, el cuerpo y el alma, y este estado se refleja en nuestras relaciones. Sólo las victorias nos traen un atisbo de paz, pero esos momentos pasan como un soplo. Es la versión del sueño del planeta que está por lo visto en constante conflicto.

9

Quinto nivel:
fanatismo

«¿Eres tú el que controla el conocimiento o es el conocimiento el que te controla a ti?»
Mi conocimiento controla cada uno de mis actos.

El quinto nivel, el del fanatismo, describe un rígido apego
al conocimiento con una intolerancia excesiva a los puntos de vista contrarios a los de uno. Surge de la necesidad
de creer en algo al cien por cien, aunque el significado de
este algo dependa del acuerdo de otros. Cualquier cosa que
contradiga o cuestione la sostenibilidad de la creencia es
una amenaza directa, y un fanático defenderá su creencia a
toda costa. Los prejuicios, la intolerancia y la violencia son
los instrumentos que usa para imponer la creencia al sueño
del planeta.

Sea cual sea la forma que tome el fanatismo, la energía de la que se alimenta no es el odio ni la ira, sino más bien una forma extrema de amor condicional hacia uno mismo y los demás. Por eso en el mundo cualquier creencia maravillosa puede transformarse en corrupción, ya que el conocimiento controla la voluntad de una persona para seguir perviviendo.

Una persona fanática está totalmente domesticada por sus creencias y su conocimiento se vuelve inflexible y controlador. Domina su voluntad. A este nivel del apego intentamos domesticar a todos cuantos nos rodean, volviéndonos unos tiranos. En la tiranía no hay libertad alguna. En la tradición tolteca, a este nivel el humo no nos deja ver ni siquiera el espejo. No vemos más que humo.

Para ilustrarlo pondré el ejemplo sencillo y profundo a la vez de la joven vegana, que ahora es madre. Domestica a su hijo para que siga la tradición familiar del veganismo y adquiera una identidad que, según ella, es la única correcta: la identidad que ella ha adoptado. (Mi intención no es juzgar el veganismo ni crear un debate con estos ejemplos, sino sólo ofrecerte un espejo.)

Imagínate una cena en su casa. La joven madre está

preparando la comida en la cocina mientras su marido y su hijo están en el comedor sentados a la mesa.

—¿Qué quieres comer? —pregunta ella.

—Carne asada —responde el hijo.

—En esta casa no se come carne asada —le suelta con tono serio.

El hijo protesta y le ruega a su padre que se ponga de su lado. El padre, que ha adoptado el sistema de creencias de su mujer, le dice que le haga caso a su madre. El chico vuelve a pedir carne asada, pero su madre le responde que el resto de la familia sólo come una dieta sana vegana.

—Somos veganos —dice ella.

—¡No! Yo no lo soy —protesta el hijo.

—Vale, en ese caso tendrás que buscarte otro sitio para vivir —le espeta su madre.

Su apego a este ideal le ha llevado a imponerle a su hijo la condición de que para ser miembro de la familia debe ser vegano. La domesticación consiste en esto, ya que si su hijo se come la cena vegana le premiará aceptándolo como miembro de la familia. Y si no lo hace, lo rechazará. En el cuarto nivel, el de la interiorización, el chico podría negarse a ser vegano sin que su madre le impusiera esta condición. Pero cuando el apego es tan

desmedido, el resultado es un conflicto y una domesticación implacables, y cualquier respuesta contraria provoca
un rechazo absoluto.

Imagínate esta situación en una familia donde el apego
tiene que ver con un padre con unas ideas políticas opues-
tas a las de su hija, o con un chico que cree ciegamente en
las propiedades curativas de la homeopatía mientras que
su hermana es una fanática de la medicina tradicional. Se
acabará desatando una guerra sin cuartel donde la pasión
ha sido reemplazada por la obsesión —la obsesión por
estar a la altura de las condiciones de la máscara de nuestra
identidad—, y donde el apego del ganador se vuelve más
desmedido si cabe al creer ufano que con su conocimiento
les ha abierto los ojos a los demás.

Esta clase de interacción en una familia es más común
de lo que parece y también es aplicable a las creencias
religiosas, la posición social y a otros aspectos de la vida.
Como cuando una persona cree que debe imponer sus
creencias a los miembros de su familia y no se queda tran-
quila hasta haberlos doblegado o hasta que la relación se
rompe. Éstas son las consecuencias del fanatismo, acaba
abriendo una brecha entre dos o más personas que, de no
ser por esta pelea, se seguirían queriendo.

He visto a personas fanáticas de la tradición tolteca dar más importancia a la necesidad de imponerse a sí mismas y a los demás esta filosofía como única verdad que a los conceptos y lecciones sobre la libertad personal que conllevan los acuerdos y enseñanzas.

«Sólo quiero estar rodeado de personas que estén iluminadas por la filosofía tolteca» es el comentario que oí en una ocasión. También he oído críticas por no ser lo «bastante tolteca». Sea cual sea su sistema de creencias, un fanático deja que su propia felicidad y aceptación de los demás dependa de su adhesión a ese sistema. Esta clase de implacable conflicto puede llevarle al extremo de pensar que una idea o una creencia son más importantes que la vida de los demás e incluso que la suya.

Las historias que circulan por todo el mundo de asesinatos cometidos por honor —al margen de la religión o la posición social de quienes los cometen— expresan una forma extrema de amor condicional en el seno familiar. Desde el punto de vista de alguien al que le obligan a hacer algo amenazándole con la muerte, el sueño del planeta se puede ver como una pesadilla, como la muerte en nombre del amor. Si el apego de una persona a una forma de vivir es tan enorme que sus valores familiares son más importantes que la vida de los miembros de su familia, imagínate qué actos desmesurados puede llegar a cometer con desconocidos azuzado por este nivel de apego.

Los ejemplos más evidentes de fanatismo se encuentran en las noticias de asesinatos cometidos en nombre de alguna causa, creencia o estilo de vida en el que el amor al prójimo está condicionado por la disposición de uno a actuar o a ser exactamente como se espera y acepta en ese sistema de creencias. En estos casos, las voces en la cabeza son tan chillonas que amortiguan al yo verdadero e imponen continuamente un amor condicional hasta tal extremo que la muerte es un medio para el fin.

A este nivel, el apego no sólo se presenta en forma de muerte, sino que además la violencia de la tortura, la violación o la profanación de otro ser —sea hombre, mujer, niño o animal— se convierten en opciones y acciones viables. El fanatismo es la pérdida absoluta del respeto por otro ser vivo, cuando uno deja de verlo como tal y lo transforma en una idea o un número. Por desgracia, en las noticias y en los medios sensacionalistas aparecen muchas historias que lo ilustran, pero hay que tener en cuenta que quienes las protagonizan están dominados por la falsa idea de que tales actos están justificados.

Los fanáticos también se imponen a sí mismos sus modelos poco realistas e intentan ceñirse a una pauta hasta el punto de poner en peligro su propia vida. Como en el caso de la anorexia o la bulimia, en la que una persona está tan apegada a alcanzar un cierto ideal que deja de ver la verdad de quién es, incluso cuando se ve en el espejo. La propia imagen se puede distorsionar tanto que esa persona deja de ver su humanidad. No sabe que ha cruzado una línea: lo único que queda es una ilusión. La muerte le llega sin que se dé cuenta de haber decidido quitarse la vida.

Seguramente no estés viviendo en tu vida unos ejemplos tan extremos de fanatismo. Pero un apego a este nivel tiene otras manifestaciones que no son fáciles de reconocer.

Aunque los seres queridos intenten a toda costa hacerle entrar en razón, esa persona debe desear de verdad cambiar su forma de pensar, pero como ocurre con todo, esto no significa que deban dejar de intentarlo. La voluntad o el deseo de vivir sirven de catalizador para cambiar. En cuanto siente este deseo y recupera el respeto por su propia humanidad, su nivel de apego va disminuyendo. En este punto la ilusión empieza a desvanecerse.

Esto es cierto tanto en el caso del agresor como en el de la víctima, no podemos dar lo que no tenemos. La forma de empezar a abandonar este apego es respetando la propia vida.

Pero a esa persona todavía le queda un largo camino por recorrer para liberarse de la ilusión: la versión del conocimiento corrompida que ya no refleja la vida, sino lo que su apego quiere ver. A medida que recupera este deseo básico, empieza a percibir un vislumbre de verdad que actúa a modo de pilar para su transformación. Pese a seguir intentando liberarse de la ilusión, ha encontrado un momento de claridad..., ha elegido una verdad en forma de vida. Al volver a respetar su propia humanidad y la ajena, empieza a darse cuenta del poder de su voluntad.

10

El mayor demonio

Mi padre siempre me ha incitado a cuestionarme mi conocimiento, a desafiar mis apegos y a descubrir nuevas formas de entender las cosas. Por eso durante la etapa de mi formación solía plantearme acertijos. Un día me preguntó:

—Miguel, ¿sabes cuál es el mayor demonio en el mundo?

Reflexioné un momento y sacudí la cabeza negándolo.

—Es el amor —repuso con una ligera sonrisa asomando en sus labios.

—¿Cómo puede ser el *amor* el mayor demonio en el mundo? —repliqué sin acabar de creérmelo, sintiendo al encogérseme el estómago una reacción emocional fluyendo por mi cuerpo. Sentí la irritación de un niño que sabe que su padre va a echarle por tierra otra de sus ilusiones favoritas.

—Resuelve el acertijo y lo descubrirás —me respondió.

Miré a mi padre, la persona que había escrito el libro *La maestría del amor*, sin dar crédito a lo que acababa de oír.

—¡El amor no puede ser el mayor demonio del mundo! —exclamé casi gritando—. Todos somos amor. Todos compartimos amor. No somos más que amor.

—Miguel, averígualo por ti mismo —se limitó a responderme y luego se fue.

Reflexioné en ello, pero me parecía de lo más absurdo. *Somos* amor. Nacemos *del* amor. ¿Cómo podía llegar a decir que el amor es un demonio… y según él el *mayor* de todos? Y si yo *era* amor, ¿cómo podía ser el mayor demonio del mundo?

Durante una temporada le estuve dando vueltas al acertijo.

Un día di con la solución como si hubiera surgido de la nada y me hubiera puesto en el camino que me guiaría el resto de mi vida. Me ocurrió mientras miraba al San Diego Chargers jugar contra los Oakland Raiders, dos equipos de fútbol americano que eran grandes rivales. Sé muy bien cuál es mi nivel de apego a los Chargers. Cuando los veo jugar, elijo implicarme en el partido y paso rápidamente al tercer nivel del apego. Y a veces incluso al cuarto. Por eso seguramente tuve mi epifanía durante un partido de fútbol americano.

En el primer cuarto de este partido en particular, el televisor se quedó mudo. El sonido se había estropeado o había un problema en la retransmisión del partido, porque no se oía nada. ¡No podía oír los comentarios! Presintiendo que la ocasión era una oportunidad, decidí asignarme un ejercicio. Me planteé el reto de mirar el partido como si no hubiera visto nunca antes uno. Mi objetivo era desaprender, o desprenderme, de lo que sabía sobre fútbol americano y disfrutar simplemente de la escena desarrollándose ante mí. Quería despojarme de todas mis ideas preconcebidas.

Me llevó un tiempo dejar de describirme a mí mismo lo que sucedía en el campo y mirar simplemente el partido. Vi dos equipos enfrentados y empecé a entender su juego y sus acciones desde una nueva perspectiva. Comencé a ver cada una de sus acciones como si fuera la verdad revelándoseme ante mí. Mi mente se silenció y me limité a observar. Se estableció una conexión más profunda entre mí y lo que estaba sucediendo en el campo en ese momento. El juego de ambos equipos me entusiasmó.

Hacia la mitad del partido volvió el sonido. ¡Y quién lo iba a decir! Ahora había dos voces describiendo lo que sucedía, narrando cada momento. Los comentaristas me estaban diciendo en qué debía fijarme y sentí cómo iban guiando mi atención hasta que ya no pude ver el partido desarrollándose ante mí como antes, ahora estaba escuchando lo que me decían. Los comentaristas me informaban de cuándo debía vitorear a mi equipo y de cuándo no. Explicaban por qué los jugadores lanzaban el balón, por qué era posible un *touchdown* y por qué la defensa lo estaba haciendo tan bien. Luego se pusieron a describir cosas que ni siquiera estaban sucediendo en el campo: por qué fichaban a un jugador, a quién debían traspasar, qué jugador no se merecía ni siquiera estar en el equipo. Empecé a prestar atención sólo a lo que las voces querían que viera mientras señalaban excitadas jugadas increíbles y reprobaban con actitud sentenciosa la floja actuación de algunos jugadores. Cuando el partido finalizó, sólo me acordaba de lo que esos comentaristas querían que yo recordara. Sólo vislumbres de la verdad: un *touchdown*, un gran placaje o un pase asombroso destacado por sus comentarios. Después empezó el *show* pospartido y volvieron a contar cada momento del partido. Por lo visto necesitaba a un equipo de comentaristas que me dijera lo que acababa de ver.

Entonces fue cuando de pronto lo entendí: tenía esos mismos comentaristas en mi cabeza. La única diferencia es que tenían mi voz. Al igual que cuando tomas un trago de vino y piensas en la región y en la variedad de la uva en lugar de disfrutar de la experiencia, dejaba que las voces en mi cabeza hablaran de cualquier cosa que me llamase la atención y solía ser sobre algo a lo que me había apegado. Lo cual me alejaba de la experiencia del momento presente, como una goma elástica que se estira demasiado y luego recupera su forma inicial. Los comentaristas son las voces del filtro de lo que sabemos, los pensamientos y las creencias que crean nuestro sistema de creencias. Mi padre se refería a ellas como la voz del conocimiento. Pero yo simplemente las llamo las voces en la mente.

En la tradición tolteca hay un símbolo que usamos para describir la cháchara de nuestra mente: el *mitote*, que significa «un millar de voces hablando a la vez». Estas voces intentan llamarnos la atención y las más estridentes suelen ser las que se manifiestan en forma de apego. Algunas de esas voces hablan desde la distorsión y otras desde la verdad. Aunque la razón nos permite diferenciarlas a ambas, no es fácil distinguirlas si nos hemos apegado a ellas. Dependiendo de cuál sea la voz a la que nos hayamos apegado, percibiremos el mundo a través de ella y crearemos nuestro mundo a su imagen y semejanza.

Siempre lo había comprendido a nivel intelectual, pero esta última experiencia me permitió comprenderlo a un nivel mucho más profundo e intuitivo. Las voces en nuestra cabeza personifican nuestros apegos a cosas, ideas y creencias. Hacen que nos quedemos anclados en experiencias pasadas mientras intentamos darle sentido al presente. Tenemos la fuerte inclinación a adaptar las nuevas experiencias a nuestras ideas preconcebidas de la vida. Estas voces también nos hacen centrar en alguna meta dualista, en algo que alcanzar en el futuro o en algo de lo que estamos convencidos que no llegaremos a alcanzar nunca, pero por lo que pensamos que debemos luchar.

Volviendo al tema del amor, las voces en la cabeza también desempeñan un papel muy importante en nuestras relaciones. En mi caso, cuando era más joven me enamoré de una chica preciosa. Pero después de gozar de nuestro amor durante un tiempo, nos empezamos a acostumbrar a él y caímos en la rutina. En este punto comenzamos a verle defectos a la relación y a discutir cómo «debería ser» para que estuviera a la altura de nuestras expectativas.

Aparte de lo que me decía mi novia, yo no tenía idea de lo que realmente pensaba, pero sí sabía lo que pasaba por mi mente. Las voces me comentaban: «Para ser la novia perfecta *debería* ser así... Se *supone* que nuestro amor debería ser de esta manera... Ella hace esto para controlarme. ¿Cómo puedo hacerla feliz?... *Debería* hacer esto...» Todas las cosas que las voces en la cabeza me decían se basaban en mi apego a cómo creía que debía ser una relación para seguir amándonos. Todas estas expectativas se basaban en mi experiencia pasada y en las creencias que había ido adquiriendo a lo largo de los años. Dejaba que mi conocimiento analizara cómo se suponía que una relación debía ser y me lo creía. Había dejado de estar conectado a mi amada o en comunión con ella, mi atención estaba puesta en las voces en mi cabeza. En aquel tiempo veía que aunque nos siguiéramos amando, nuestro apego a las ideas sobre lo que creíamos que era el amor se estaba interponiendo entre nosotros. Toda esta situación nos venía de escuchar las voces en nuestra cabeza.

Así que gracias al descubrimiento que hice en aquel partido de fútbol americano y a lo que me reflejó sobre mi relación, comprendí por fin a qué se refería mi padre al decir que el amor es el mayor demonio. En lugar de limitarnos a experimentar el amor, de ser amor, las voces en la cabeza nos explican cómo debemos sentirnos: qué nos hace merecedores de amor, quién debe amarnos y cómo debe expresar este amor; qué tenemos que hacer o alcanzar para querernos a nosotros mismos y qué es lo que los demás deben hacer para recibir nuestro amor. Empezamos a creer en el análisis de las voces en nuestra cabeza sobre lo que el amor debe ser y nos apegamos a esta creencia. Empezamos a imponérnosla a nosotros mismos y a los demás, creando así un reflejo distorsionado del amor. Las voces en la cabeza nos convencen de que si logramos alcanzar la perfección que nos imaginamos, estaremos tan llenos de amor que a partir de entonces no tendremos ningún problema en la vida. Pero lo que en realidad ha sucedido es que hemos hecho que el amor se vuelva condicional. Y si seguimos haciéndoles caso a los consejos de las voces en nuestra cabeza, pasaremos la juventud, la adolescencia y la adultez apegados a la idea de necesitar encontrar la personificación viviente del «amor verdadero».

Para enamorarnos debemos tener a alguien a quien amar. Y se supone que esa persona también nos ama. Nos aferramos a esta parte, formándonos una idea del amor a través de reafirmaciones positivas y negativas, como hacíamos de niños cuando buscábamos siempre la aprobación de nuestros padres, deseando que nos aceptaran y encogiéndonos si nos desaprobaban. Esta clase de amor lleva tantas condiciones ligadas a él que el sufrimiento es inevitable. Y de este modo el amor se convierte en el mayor demonio de todos. Nuestra distorsión del amor transforma el ángel del amor incondicional en demonio, en un símbolo de la distorsión de la verdad, con lo que nuestros miedos aumentan y nuestra visión se distorsiona más todavía creándonos un infierno personal.

Si nos miramos al espejo y no vemos el amor reflejado en él, es porque no podemos ver a través del humo que distorsiona nuestra visión y nos hace creer que el amor es algo que se ha de obtener, como la zanahoria colgada de un palo.

Si miramos nuestro reflejo y en nuestros ojos, veremos lo que hay más allá de ellos, veremos la verdad. No es necesario perseguir el amor, porque somos amor. Simplemente dejamos de apegarnos a lo que esperamos per-

cibir para ver más allá de ello. Si apagamos el volumen
de las voces en nuestra cabeza, la voz de nuestro conocimiento, y vivimos simplemente el presente, aparecerá
entonces la verdadera imagen del amor.

Siempre hemos sido amor. Pero nos hemos acostumbrado tanto al reflejo cubierto de humo y distorsionado
del amor que no podemos ver o aceptar que no sabemos
vivir la vida sin él, lo cual es la mayor mentira. Pero cuando tomamos conciencia de nuestro apego y decidimos
abandonar esta idea distorsionada, la motivación para
cambiar surge del amor que sentimos hacia nosotros mismos y nos da una perspectiva totalmente nueva de la vida,
tal como explicamos a continuación.

Cuando dejamos de apegarnos a las voces en nuestra cabeza —en concreto a sus juicios y críticas— y nos
aceptamos tal como somos, nuestro amor condicional ya
no será lo que nos motive a cambiar. Por ejemplo, si me
miro al espejo y me digo: «Eh, Miguel, estás en baja forma.
Con este aspecto nadie te tomará en serio, necesitas perder peso», son las opiniones distorsionadas de las voces en
mi cabeza las que me motivarán a hacerlo. Pero si cuando
me miro al espejo me digo: «Eh, Miguel, eres perfecto tal
como eres en este momento y te acepto por completo, pero

veo que podrías perder algunos kilos para estar más sano»,
será el deseo de cuidar de mí lo que me motivará a hacer
el cambio y surgirá del amor que siento hacia mí mismo.
Hacer dieta no es una condición para aceptarme. En su
lugar, reconozco la verdad de mi estado poco saludable y
decido cambiar no porque el amor condicional me obligue
a hacerlo, sino porque me quiero y acepto a mí mismo.

Dar los pasos para tener mejor salud, cambiar de pro-
fesión o hacer realmente cualquier cosa que transforme
nuestra vida suele ser un proceso emocional. El miedo
al fracaso o a no alcanzar la meta que nos hemos fijado
suele impedirnos entrar en acción y de hecho perpetúa lo
que *no* queremos.

En un episodio de *Frasier,* una serie americana muy
popular de la década de 1990, el protagonista se está
enfrentando a su pasado y tiene una alucinación de sus
antiguas experiencias amorosas. Llega a una conclusión
que ilustra a la perfección el punto al que mi refiero, exclamando: «¡Estoy solo porque me da miedo estar solo!» No
quiere enamorarse porque le da miedo fracasar y sentir el
desagradable rechazo de la mujer que le gusta. Por suerte,
acaba viendo que la única forma de salir adelante es supe-
rar las heridas emocionales que le impiden avanzar.

Creer que debemos evitar el rechazo a toda costa es una creencia muy común. Por ejemplo, si alguien te dice «No me atraes como pareja», puedes elegir qué hacer con este conocimiento. Puedes aceptar la verdad sin necesidad de escuchar las voces en tu cabeza y comprender que esto no tiene nada que ver contigo, sino sólo con esa persona y con sus gustos. Aunque a nadie le guste oírlo, es simplemente esto y punto.

Tu otra elección, y por desgracia es la reacción más común, es tomarte la preferencia en cuanto a los gustos de esa persona como algo personal y usarla contra ti para reforzar alguna creencia negativa que abrigues: no le atraigo porque tengo sobrepeso, soy demasiado bajo, etcétera. De esta forma acabas usando la preferencia en cuanto a los gustos de alguien para convencerte de que no te mereces quererte ni aceptarte. La motivación para mejorar se convierte de pronto en condicional: si pierdo algunos kilos, tal vez le guste más o puede que incluso le atraiga a una mujer mejor que ésta.

De cualquier manera estás haciendo una elección. Puedes elegir dejar que tu autoaceptación dependa de los gustos o la opinión de otra persona, o aceptar que sencillamente esa persona ha expresado lo que ella prefiere y que esto no cambia quién eres tú.

Según mi experiencia, el amor hacia uno mismo es el único móvil que produce un cambio duradero. Cuando me quiero y me acepto a mí mismo, deseo tratarme bien y estar sano lo máximo posible, sólo entonces tengo libertad para desintoxicarme de cualquier cosa que haya estado dominando mi voluntad.

Cuando es el amor por nosotros mismos el que nos motiva a hacer cambios en la vida, no existen «debes» o «deberías». En este caso la respuesta es: «Quiero hacer este cambio por mí». Cuando dices sí a esta elección, puedes empezar el proceso. Hacerlo por ti en lugar de para complacer a otros o a las voces en tu cabeza marca la diferencia entre hacer un cambio duradero frente a una vana ilusión temporal.

Al margen de los traspiés que puedas dar por el camino, cuando quieres hacer un cambio, no dejas de levantarte para seguir adelante ejercitando tu voluntad como si de un músculo se tratara. A medida que tu fuerza de voluntad se vuelva más fuerte, sabrás lo que es la pasión. Pasión es la expresión del amor, del yo verdadero en forma de nuestra intención. La meta —el resultado final— no es más que un punto de atención que nos permite dirigir la intención en esa dirección, disfrutando del proceso que nos lleva hasta ese punto, porque estamos viviendo a través de él.

El amor verdadero es el mayor móvil para abandonar los apegos, en cambio el amor condicional sólo los fortalece. Conocer la diferencia es primordial cuando entramos en el proceso de desapegarnos de las condiciones y acuerdos que nos impiden experimentar nuestra autenticidad. Cómo nos relacionamos con nosotros mismos y con las personas de nuestra vida es fundamental: no puedes dar lo que no tienes. Si tu amor es condicional, obtendrás un amor condicional. Pero si tu amor es verdadero, serás capaz de ofrecer un amor verdadero. La mejor forma de liberarte de la ilusión es decidir aceptar tal cual la verdad que se te presenta tal y como es. Como ya se ha dicho: «La verdad te hará libre».

11

El paso por los distintos niveles del apego

Según mi experiencia, la mayoría de personas con las que me encuentro en la vida parecen estar en el tercer y el cuarto nivel, los de la identidad y la interiorización. Aunque las voces del fanatismo sean las más estridentes, las del quinto nivel parecen representar la minoría de personas con las que he interactuado en el sueño del planeta. Pero es importante advertir que cada uno de nosotros vamos subiendo y bajando por los distintos niveles del apego a lo largo de nuestra vida, por eso todos hemos sentido distintos niveles de apego en un momento u otro.

Podemos subir y bajar por los diferentes niveles siendo conscientes de ello o a veces sin darnos cuenta, como un niño aferrado a un momento desagradable hasta que alguna otra cosa le distrae y cambia su centro de atención. En nuestra calidad de adultos, nuestros apegos son mucho más fuertes que los que teníamos en la infancia, ya que solemos acostumbrarnos a nuestras creencias y circunstancias. Pero si elegimos seguir el proceso de *redireccionamiento*, podremos cambiar nuestro centro de atención.

REDIRECCIONAMIENTO

En primer lugar debemos advertir dónde está puesta nuestra atención en el presente. Tomar conciencia de nuestros apegos constituye el inicio de cualquier proceso. Reconocer cuáles son las creencias que hemos interiorizado o con las que nos hemos identificado o convertido en fanáticos es el primer paso para volver a ser conscientes de nuestro yo verdadero en cualquier situación. Aceptar la verdad en este momento es aceptarnos tal como somos, con nuestros apegos y todo. Desde este punto de aceptación, la pregunta será: «¿Quiero conservar el apego?»

Si elegimos conservarlo, y algunas veces lo haremos, no hay ningún problema, porque lo hacemos siendo conscientes del apego y eligiendo vivir de ese modo. Y si no queremos conservarlo, elegimos abandonarlo. La libertad para elegir entre estas dos opciones es la manifestación de nuestro intento, el poder de la elección.

Pero a medida que aumenta nuestro apego a lo que creemos, nos cuesta mucho más ver el poder de nuestro intento. Esto nos pasa sobre todo cuando nuestros acuerdos nos impiden abandonarlos sin juzgarnos antes por siquiera plantearnos cambiar nuestra forma de pensar.

El paso del quinto al cuarto nivel

En los niveles quinto y cuarto, los del fanatismo y la interiorización, el sueño del planeta influye en la forma en que nos vemos y comportamos. Es decir, la domesticación reina por encima de cualquier otra cosa. Para pasar del punto extremo del fanatismo (la pérdida de humanidad) a la interiorización necesitamos ver que nuestra vida y la de todos los otros seres es más valiosa que cualquier idea o creencia.

Amarnos y respetarnos a nosotros mismos y a los demás es el primer paso para abandonar el fanatismo. No podemos dar lo que no tenemos. El respeto por la vida empieza por respetar la de uno mismo y el amor es la fuente primordial para este respeto. Ver que nuestra vida vale la pena nos permite ver que la de los demás también es igual de especial. Pero para abandonar la forma más extrema de amor condicional debemos poder cuestionarnos los acuerdos a los que estamos sujetos. El acto de cuestionárnoslos produce un momento de claridad que nos ayuda a ver nuestra verdad.

Una consecuencia del apego al conocimiento a nivel del fanatismo es que nos juzgamos a nosotros mismos por siquiera pensar que podría haber otro camino al cuestionarnos este apego. Por ejemplo: «¿Cómo me atrevo a pensar que pudiera haber alguna otra posibilidad que la de ser tolteca? ¡Estoy traicionando a esta filosofía! ¡Merecería arder en el infierno por esta traición!»

Cuando estamos en el quinto nivel nos cuesta incluso cuestionarnos nuestros apegos. Pero cuestionárnoslos es la forma de impedir que nuestro apego al conocimiento siga atenazándonos la voluntad. Este proceso se parece un poco a avanzar por una estructura de barras de mono: la única forma de hacerlo es soltarnos de la barra de detrás mientras nos impulsamos hacia delante para agarrarnos a la siguiente. Si no soltamos la barra anterior, no podemos avanzar.

Un momento de duda en una creencia puede ser la rendija por la que empiece a expandirse nuestra percepción. La duda en forma de escepticismo con la disposición a aprender nos permite mantener nuestro acuerdo hasta haber oído con claridad y considerado todo lo concerniente a nuestra creencia. El escepticismo nos ayuda a volver a examinar una creencia y decidir si la mantenemos diciendo sí o no a ella. Recuerda que hay un sí en el origen de cada creencia que albergamos, pero un no puede bastar para cambiarla. Nuestro no es tan poderoso como nuestro sí. Son la afirmación de nuestra voluntad, y ser conscientes de ella nos da la oportunidad de dejar de estar dominados por nuestro conocimiento. En este punto es cuando empezamos a ver que podemos controlar el conocimiento, en lugar de ser él el que nos controle a nosotros.

En resumen, para pasar del quinto nivel, el del fanatismo, al cuarto, el de la interiorización, es necesario ser conscientes del conocimiento percibido y preguntarnos a nosotros mismos: «¿Realmente creo esto? ¿Por qué lo creo? ¿Me sirve esta creencia?» Reconsiderar nuestras creencias nos posibilita elegir entre seguir creyendo en ellas o cambiarlas. El mero acto de elegir entre una cosa u otra hace que seamos conscientes de nuestra fuerza de voluntad. Abandonar el fanatismo nos permite escuchar lo que percibimos y volver a examinar nuestra disposición a decir sí o no a ello con plena conciencia, nos permite cambiar la dirección de nuestro centro de atención a medida que nos volvemos más conscientes de las inmensas posibilidades que la vida nos ofrece. La mejor forma de liberarnos de la ilusión es decir sí a la verdad cuando ésta se presenta ante nosotros.

EL PASO DEL CUARTO AL TERCER NIVEL

Para pasar del cuarto nivel, el de la interiorización, al tercero, el de la identidad, es necesario reconocer nuestro apego al mecanismo del amor condicional. La aceptación y el rechazo en sí mismos (los comentarios distorsionados de las voces en nuestra cabeza) sirven, según la tradición tolteca, de catalizadores para la distorsión o la corrupción del conocimiento que nos ayuda a interiorizar nuestra identidad. Cuando dejamos de mantener la lucha interna entre la verdad y las mentiras, pasamos al tercer nivel, el de la identidad. En nuestra tradición esta rebelión representa el nacimiento de un guerrero tolteca: cuando reconocemos el mecanismo al que estamos sometidos y elegimos no creer en él, con lo que iniciamos una guerra interna para alcanzar nuestra libertad personal.

El maravilloso libro de mi padre, *Los cuatro acuerdos*, y *El quinto acuerdo,* que escribió en colaboración con mi hermano don José, así como las obras de muchos otros grandes e inspiradores maestros espirituales y expertos procedentes de otras bellas tradiciones, nos ofrecen herramientas increíblemente útiles para ayudarnos a pasar del cuarto nivel, el de la interiorización, al tercero, el de la identidad.

Por ejemplo, cuando elegimos practicar los acuerdos toltecas:

1. Sé impecable con tus palabras
2. No te tomes nada personalmente
3. No hagas suposiciones
4. Haz siempre lo máximo que puedas
5. Sé escéptico, pero aprende a escuchar

empezamos a abandonar aquellos acuerdos y condiciones que nos hacen creer que no somos merecedores de nuestro amor y a ver nuestros apegos con objetividad. También nos damos cuenta de que nuestro apego a la domesticación puede incluso tentarnos a usar los acuerdos toltecas de libertad personal (o cualquier otra clase de herramientas parecidas para la transformación) como condiciones para aceptarnos a nosotros mismos y a los demás. Así, distorsionamos las herramientas que son instrumentos de transformación en las cinco condiciones para nuestra libertad personal.

¿Cómo podemos evitar que nuestra decisión de intentar alcanzar la libertad personal se convierta en las condiciones para aceptarnos a nosotros mismos? Elegimos aplicar las lecciones sabiendo que no son más que herramientas para guiar nuestro intento mientras practicamos la maestría del amor a uno mismo, es decir, empezamos a usar el conocimiento como un instrumento que nos ayuda a guiar nuestro intento siendo conscientes de ello. Aunque esto requiere aceptarnos a nosotros mismos tal como somos. En cuanto vemos que podemos querernos tal como somos, comprendemos que ya no necesitamos domesticarnos, nos aceptamos en ese instante en lugar de dejarlo para el futuro. Estamos viviendo ese amor en este momento. Darnos cuenta de nuestras acciones, asumir lo que ha sido nuestra propia voluntad y arrepentirnos, si es necesario, nos permite perdonarnos a nosotros mismos y a los demás por nuestras acciones y por las suyas, lo cual nos ayuda a liberarnos de la domesticación.

Ejercicio: el uso del laberinto en la tradición tolteca

En la tradición tolteca de mi familia practicamos el método del perdón y del abandono de nuestra domesticación, así como de nuestras heridas y venenos emocionales al usar el laberinto de un solo camino. Es un símbolo y una ceremonia que muchas tribus y tradiciones del mundo entero utilizan de distintas maneras. El ejercicio que describo a continuación lo realiza nuestra tradición tolteca, pero no es la única forma de usar el laberinto como herramienta para la transformación.

Imagínate que estás en la entrada del laberinto. En primer lugar debes estar dispuesto a adentrarte en él. Si no estás preparado para perdonar y dejar de apegarte, tienes la opción de no entrar en el laberinto. Este ejercicio sólo es poderoso si dices sí con tu fuerza de voluntad, ya que sólo podrás hacerlo a través de ella. Si eliges entrar, es como la acción de decir: «Sí, estoy listo para perdonar y asumo esta decisión».

Mientras entras en el laberinto, imagínate un mapa de carreteras de tu pasado que te conduce al momento presente de tu vida. A cada vuelta del laberinto imagínate que te encuentras con una persona, un momento o una creencia que hayas utilizado de algún modo para domesticarte. ¿Qué o a quién has usado para someter tu voluntad con el fin de aceptarte o de ser aceptado por los demás? Si, por ejemplo, se trata de una persona, detente y visualízala en tu mente, advierte cómo sus palabras han contribuido a tu domesticación y di: «Perdóname. He usado tus palabras contra mí». Aunque esa persona pueda haber usado sus palabras y acciones para domesticarte o para perjudicarte o herirte, tú eres el que en última instancia has dicho sí a esa creencia y permitido que progresara en tu mente.

Advertir que eres responsable a partes iguales de la relación también es primordial, ya que no sólo es culpa de la otra persona. Acepta que has estado usando las palabras o las acciones de otro para haceros potencialmente daño a los dos por el simple hecho de decir sí. Con el acto de decir sí has dejado que sus palabras y acciones te afectaran, permitiendo que te hicieran daño o que fueran contra ti. Sus palabras y acciones sólo pueden hacerte daño si tú lo permites, porque eliges estar de acuerdo con ellas.

El perdón surge en cuanto dices no a cargar con ese dolor, con ese peso en tu conciencia, con esa herida emocional, y te desprendes de todo ello. Di en voz alta o para ti mismo: «Perdóname, he usado tus palabras y acciones en mi contra y ya no las seguiré usando para hacerme daño otra vez». El perdón es la acción que nos ayuda a avanzar por el laberinto.

En mi caso, puedo imaginarme a las personas que me han juzgado desde su punto de vista simplemente para domesticarme. «Perdonadme, he usado vuestras palabras y acciones contra mí, y ya no las seguiré usando de este modo.» Por supuesto, también puedo ver a la gente que me ha dicho la verdad, sobre todo cuando yo me estaba haciendo daño a mí mismo, y agradecerles que me hayan servido de claro espejo para darme cuenta de mis acciones.

Sigue avanzando por el laberinto, perdonando de nuevo a medida que te vienen a la cabeza nuevas personas y situaciones, sea cual sea la persona o la herida emocional que capte tu atención en ese momento. Ésa será la siguiente persona que estés dispuesto a afrontar y perdonar. Cuando llegues al final del laberinto, quizá te descubras en una salida o en el centro. Pongamos, por ejemplo, que estás en la entrada que lleva al centro del laberinto. Detente en este lugar.

Mira la entrada que conduce al centro e imagínate un espejo. Acércate a él y observa tu propio reflejo. Cuando estés preparado, repite estas palabras: «Perdóname, he usado tus palabras sobre todo en mi contra, y ya no las volveré a usar para hacerme daño». El acto de entrar al centro del laberinto representa el momento en que te perdonas a ti mismo. Es el acto de tu propio perdón en el que recuperas el poder o la impecabilidad de tus palabras, de tu intento. Eres merecedor de tu perdón, al igual que eres merecedor de tu amor.

Al llegar a este punto del ejercicio, has dejado atrás el pasado reconociendo que lo único que existe es el momento presente. Ahora incluso el laberinto ya forma parte del pasado y lo dejas atrás mientras te perdonas a ti mismo. Ahora que eres consciente de haberte perdonado, puedes usar el conocimiento del pasado para hacer lo que elijas en el momento presente. El laberinto se expande a medida que vives tu vida, pero la única verdad está en ese centro en el que te encuentras, en ese momento presente en el que estás vivo. La ceremonia del laberinto termina cuando reconoces ser merecedor de tu amor porque estás vivo en este instante.

Esta ceremonia es un símbolo viviente, sólo tiene poder por medio de nuestro intento. Al igual que la labor activa de aplicar las lecciones y los escritos de los maestros y profesores que nos ayudan a curarnos de nuestras heridas emocionales, el laberinto sirve para representar la labor activa de dejar de apegarnos a una ilusión. Dejar de apegarnos al conocimiento en forma del cuarto nivel, el de la interiorización, hace posible que podamos reclamar nuestra libertad personal para recuperarla del tirano de nuestra domesticación, mientras pasamos al tercer nivel del apego, el de la identidad.

Cuando las voces distorsionadas en nuestra cabeza dejan de controlarnos, nuestra identidad le da importancia a nuestras experiencias y nos permite comprenderlas al usar nuestro conocimiento como una herramienta efectiva y útil. De este modo nuestra identidad y nuestro conocimiento nos ayudan a interactuar con el sueño del planeta con una fuerza de la que carecemos cuando nos encontramos en el nivel de la interiorización.

Para poder relacionarnos con el sueño del planeta y formar parte de él, el conocimiento necesita comprendernos. Ésta es la función del conocimiento: llena la necesidad de comprendernos a nosotros mismos y al mundo en que vivimos. Lo usamos para afrontar nuestra experiencia de la vida y para expresar nuestras impresiones sobre ella. La famosa afirmación del filósofo René Descartes «Pienso, luego existo» es la expresión del apego a la identidad. Pero «Pienso, luego existo» no está corrompido por el mecanismo de juez y víctima, porque no necesita distorsionar el conocimiento para que se ciña al apego, simplemente describe el ser sin distorsionarlo.

El apego a la identidad es la personificación del conocimiento como nosotros mismos. Este «nosotros mismos» no es más que un concepto con el que nos definimos en nuestro intento de dar sentido a nuestro complejo yo. En cuanto dejamos de apegarnos a la identidad vemos que hay una clara línea que separa lo que somos de lo que sabemos. El conocimiento existe sólo porque nosotros estamos vivos y nuestra voluntad es el puente entre el conocimiento y nosotros mismos en forma de la elección que hacemos entre un sí y un no.

EL PASO DEL TERCER AL SEGUNDO NIVEL

El paso del tercer nivel, el de la identidad, al segundo, el de la preferencia, lo hacemos cuando somos conscientes de nosotros mismos sin necesidad de identificarnos con nosotros mismos. El tercer nivel es como llevar una máscara que no sabemos que nos podemos sacar. En cuanto comprendes que tú no eres la imagen de la máscara, vuelves a ser consciente de tu yo verdadero: de ser una persona libre de tomar cualquier dirección en la vida.

Bajo cualquier cosa que le dé forma a nuestro sistema de creencias, siempre hay un sí. Este sí da vida a una idea, a un símbolo o a una historia porque tiene tu intento. La identidad de cada persona tiene un significado porque ésta se lo da al estar de acuerdo con él. Dejar de apegarnos a una identidad es reconocer que hay una clara separación entre tú (el yo verdadero) y el conocimiento. Esta línea es tu sí y tu no, es tu intención.

Cuando reconoces tu verdad, que eres un ser vivo al margen de cuál sea tu conocimiento, dejas de apegarte a la necesidad de saber quién eres, porque eres consciente de que eres. Cuando eliges de verdad cómo quieres vivir tu vida y también el sueño del planeta, la máscara de tu identidad ya no necesita ocultar a tu yo verdadero para tener voz. Ahora eres tú el que controla el plan que tienes en mente, tu sueño personal.

Las características de este nivel de apego son que te amas a ti mismo incondicionalmente en el presente, actúas en el sueño del planeta sabiendo que tus síes y tus noes le dan vida a tu arte, y ves que la verdad existe tanto si crees como si no crees en ella, en cambio una creencia sólo existe mientras tú sigas creyendo en ella.

Volvamos a la imagen del Espejo Humeante de la tradición tolteca. Hemos conseguido atravesar el humo lo suficiente como para ver el espejo cuando nos liberamos del fanatismo. Hemos despejado el humo cuando nos liberamos de la interiorización, y al dejar de apegarnos a la identidad hemos visto que el espejo sólo refleja la verdad. Ahora, cuando nos liberamos de la preferencia, descubrimos que somos la verdad que el espejo refleja.

EL PASO DEL SEGUNDO AL PRIMER NIVEL

La preferencia se basa en ser conscientes del yo verdadero, del ser vivo que uno es, y en estar dispuestos a vivir la vida. Sabemos que en el momento presente podemos tomar cualquier dirección, pero sentimos preferencia por una en concreto. Sea cual sea la preferencia, o la acción que realicemos basándonos en ella, seguimos siendo conscientes del yo verdadero. Vivimos por completo el momento o el concepto.

El paso del nivel de la preferencia al del yo verdadero no es más que el acto de dejar de apegarnos a nuestras preferencias en cuanto pasa el momento. Cuando elegimos vivir el presente, podemos volver a implicarnos (apegarnos) o dejar de implicarnos (desapegarnos) a voluntad.

¿Qué es el yo verdadero?

¿Por qué no tomas otro nombre? La rosa no dejaría de ser rosa, y de esparcir su aroma, aunque se llamase de otro modo.

WILLIAM SHAKESPEARE

El nivel del yo verdadero es un nombre o término que simplemente describe al ser vivo con la capacidad de vivir la vida. Nuestro yo verdadero está presente en todos y cada uno de los niveles, lo único que ocurre es que los filtros que tenemos nos impiden ser conscientes de él. Podemos decidir ser nuestro yo verdadero como un ser totalmente libre de apego, si esto es lo que elegimos ser. Este estado se puede alcanzar temporalmente con la meditación y otras prácticas parecidas. (Digo *temporalmente* porque nuestra conciencia por lo general fluctúa a lo largo de nuestra vida mientras vivimos el sueño del planeta y dejamos que nos tiente el mecanismo de juez y víctima.)

El yo verdadero es el ser vivo que le da vida a nuestro cuerpo, permitiéndonos percibir la vida y proyectarla e interactuar con el sueño del planeta. Es la energía que hace que deslice este bolígrafo por el papel hasta que el ser abandone este cuerpo. Es un potencial puro e ilimitado.

«¿Qué soy "yo" si no soy mi identidad ni mi yo verdadero?» es la pregunta que mi conocimiento me formula. Hasta la etiqueta que usamos «el yo verdadero» no es más que un símbolo para expresar algo que queremos comprender. *¿Quién soy yo?* Ésta es una de las preguntas más importantes en el camino espiritual. La respuesta no puede expresarse con palabras y sin embargo sé que existo. Así como puedo afirmar: «Yo no soy este cuerpo», también puedo decir: «Yo no soy esta mente». Soy simplemente el ser vivo que está dando vida a mi cuerpo y a mi mente, una definición vacía cuyo significado sólo lo pueden determinar mis síes o mis noes.

Los cinco niveles del apego no son reglas ni pautas para «alcanzar» el primer nivel, el del yo verdadero. Los cinco niveles no son sino un marco para ayudarnos a advertir dónde estamos en este momento con relación a las distintas situaciones de nuestra vida. Podemos observar cualquiera de ellas y determinar qué es lo que está motivando nuestros pensamientos y nuestra conducta, al menos en lo que respecta a un apego en particular.

Al ver lo apegados que estamos a una creencia o idea en concreto, recuperamos algo muy importante: la capacidad de elegir, de decir sí o no una y otra vez. La verdadera libertad personal es poder elegir con plena conciencia lo que queremos y lo que no queremos, en lugar de dejar que nuestro conocimiento nos dicte qué se supone que debemos ser o elegir. Nuestra libertad para elegir es la verdadera libertad, el libre albedrío.

Si elegimos seguir apegándonos a algo que nos hace sufrir, es porque este algo también nos reconforta de algún modo. Al advertirlo, podemos examinarnos más a fondo. Pero si no nos damos cuenta de ello, vamos por la vida como si llevásemos anteojeras, esclavizados a los comentarios distorsionados de las voces en nuestra cabeza. Sin embargo, al ser conscientes de estar eligiendo apegarnos o no apegarnos a algo, podremos responder a la pregunta de mi abuela: «¿Eres tú el que controla el conocimiento o es el conocimiento el que te controla a ti?» La respuesta es la verdad de la situación en la que estoy en ese momento y la verdad me hará libre.

Cuando estás preparado para abandonar un apego, lo único que necesitas para empezar es estar dispuesto a decir: «Sí, quiero abandonarlo». ¡Es así de sencillo! Desde este estado de concienciación ya no necesitamos el mecanismo de juez y víctima para motivarnos. Nuestra nueva motivación es la pasión, y ésta surge de nuestro amor incondicional y de reconocer nuestro potencial ilimitado para seguir avanzando en la trayectoria elegida.

12

Descubre tus historias y suposiciones

Una cosa es definir e ilustrar con ejemplos los apegos en general y otra muy distinta reconocer nuestros propios apegos, lo cual podemos hacer al examinar nuestras creencias y los efectos que provocan en nuestro sueño personal. Aprender de nuestra propia experiencia en la vida no es lo mismo que aprender de lo que los otros nos cuentan de la suya. Al igual que me ocurrió con las enseñanzas de mi familia, no comprendí esto hasta que descubrí mis propias creencias y suposiciones. Espero que la siguiente parte del libro te ayude a guiarte en tu viaje personal de autoexamen.

EJERCICIO: DESCUBRE TUS SUPOSICIONES

Empieza a trazar un círculo en una hoja de papel hasta haber delineado las tres cuartas partes y al llegar a este punto detente. Aunque esté inacabado, reconoces que es un círculo gracias a la facultad de la mente de suponer que estás contemplando un círculo y de terminarlo por ti. Lo mismo ocurre cuando sólo dibujamos los dos lados de un triángulo. Vemos un triángulo.

La mente, basándose en experiencias pasadas, tiene la asombrosa capacidad de llenar las partes que faltan cuando no disponemos de toda la información. Es la ley del cierre de la Gestalt: la mente reacciona ante las formas conocidas, aunque hayamos recibido una información incompleta. Los artistas usan este método cuando crean arte conceptual, una forma de arte que nos hace reflexionar y fantasear.

Pero la mente no sólo hace esto cuando se trata de figuras geométricas, sino que también llena las partes que faltan al hacer suposiciones sobre *cualquier cosa.* La mente también muestra su preferencia por agregar información y suele añadir aquello que ya cree conocer, es decir, completa la información nueva incompleta con las creencias a las que se ha apegado. Por ejemplo, pongamos que soy un hombre que he tenido un desengaño amoroso con la última novia porque ella me dejó por otro tipo. Ahora tengo otra novia con la que llevo saliendo varios meses. Espero que me llame por teléfono. Pero mientras el tiempo pasa, me pregunto por qué no me ha llamado. Son las siete de la tarde y ya debe de haber salido del trabajo. Y entonces mi mente intenta responder a otra pregunta. Éstas son algunas de las posibilidades que se le ocurren, basadas en mi experiencia pasada, para «completar el triángulo»:

a. Ha salido con sus amigas.
b. Está en el gimnasio.
c. Está con otro hombre.

A pesar de no tener toda la información, se me ocurren tres posibilidades. Si no soy consciente de mi apego a la experiencia pasada que etiqueto como conocimiento, tenderé a decantarme por la historia que más se parezca a las de las voces en mi cabeza: «¡Está con otro hombre!»

Al no advertirlo, reacciono aferrándome a la última suposición y pensando en todas las otras veces que no he podido ver a mi novia por estar ella ocupada. Mientras lo hago, mi ira y mi apego aumentan, y mi mente secunda mi inseguridad haciendo incluso más suposiciones. «¡Claro, seguro que está saliendo con otro!», me digo.

De pronto, se abre la puerta y entra mi novia cargada con bolsas de comida y un montón de cosas ricas para cenar.

—¡Sorpresa! ¿A que no me esperabas? —dice ella.

Yo me giro en redondo rojo de ira.

—¡Estás saliendo con otro hombre! —le grito.

¡*BANG!* Pelea a la vista.

Como me he quedado anclado en el desengaño amoroso de la última relación, la inseguridad es lo que predomina en mí y la suposición de que mi nueva novia también me está siendo infiel es lo que más concuerda con mi historia. Si mi estado mental hubiera sido más sano, me habría decantado por otras suposiciones o no habría supuesto nada. Pero me he fijado precisamente en la información que alimenta mi propia inseguridad porque es a la que de momento estoy más acostumbrado. Suponer cosas tiene este problema.

Y además de tender a suponer cosas, nos apegamos a ellas y nos convencemos de que son verdad. Llenan las partes que faltan en la historia para que podamos captar «toda la verdad» al arrojar luz (lo que creemos saber basándonos en nuestro conocimiento anterior) para disipar la oscuridad de lo desconocido. Pero esta parte de la información no se basa en la verdad, sólo satisface la necesidad interior de conocer lo ocurrido. Estamos incluso dispuestos a distorsionar esta parte para que la vida concuerde con lo que creemos que debería ocurrir basándonos en nuestras experiencias pasadas.

Si en la vida actuamos basándonos en la información que percibimos, no disponer de toda la información puede hacernos detener en seco. Nuestra sensación de seguridad suele depender de si tenemos una perspectiva general de la situación y de si emprendemos las acciones correctas, aunque no podemos saberlo todo. Desde este punto de vista, sentimos la necesidad de hacer suposiciones para sentirnos más seguros. Cuanto más nos apeguemos a la creencia que nos da una sensación de seguridad, más nos apegaremos a la idea de que nuestra suposición es «correcta».

Pero sólo podemos ver la situación desde nuestro punto de vista y es imposible saberlo todo. Por eso aunque distintas personas hayan vivido la misma situación, cada una la explicará y justificará según su propia versión de los hechos. Cada persona llenará las partes que faltan de la historia según lo que suponga que es verdad basándose en sus apegos. Estamos apegados a crear una historia de cada hecho considerándolo desde nuestro punto de vista, describiéndolo, explicándolo y adaptándolo para que concuerde con nuestro sistema de creencias. Esto es lo que nos han enseñado a hacer.

Pongamos que me levanto de donde estaba sentado, cruzo la habitación y te beso la mano. El beso es la verdad. Pero la información que falta es: ¿por qué lo he hecho?, ¿qué representa la acción?, ¿qué significa?

Las respuestas a estas preguntas son subjetivas y se basan en lo que ya conocemos y en las posibilidades que nos ofrece nuestro sistema de creencias. Sólo yo sé por qué te he besado la mano. Cuando no disponemos de toda la información, la primera historia que nos contamos es la que más se asemeja a la verdad. Podrías decir: «Miguel me ha besado la mano para demostrar lo que está explicando». Pero mientras nos contamos y nos volvemos a contar en nuestra cabeza la historia sobre lo sucedido, le vamos añadiendo cosas, aunque suelen ser posibilidades menos deseables, como en el ejemplo de la novia que no me llama por teléfono. Una mujer con la percepción distorsionada podría acabar convencida de que le he besado la mano por lástima, porque se está haciendo mayor.

Creerme una suposición es una elección, pero si no *advierto* que mi mente está llenando con ella la información que me falta, entonces no será realmente una elección. En este caso estaré a merced de mis suposiciones. Pero cuando soy consciente de estar eligiendo creer en una suposición, ésta me permite plantearme una posibilidad que sólo será verdad *justo* en el momento en que se cumpla. Si me he equivocado en esa suposición, como soy consciente de ella, podré desecharla sin ningún problema y se me abrirán un montón de nuevas posibilidades. Ver nuestros apegos como tales nos ayuda a comprender que una suposición no es más que una posibilidad.

Cuando nos damos cuenta de que nuestras suposiciones no tienen por qué cumplirse siempre, sino que no son más que posibilidades, apenas hemos de esforzarnos para no dejarnos llevar por ellas. Ya sabemos que una suposición es una historia que nos hemos creado que muestra una posibilidad, y si la vida nos presenta una verdad distinta, dejaremos correr nuestra suposición sin ningún problema, porque ya no nos sirve.

EJERCICIO: DESCUBRE A TRAVÉS DE TUS SUPOSICIONES EN QUÉ SE BASAN TUS CREENCIAS

Aquí tienes un pequeño ejercicio: haz memoria e intenta recordar aquellas experiencias en las cuales hiciste unas suposiciones que más tarde resultaron ser erróneas. ¿Por qué hiciste esas suposiciones? Identifica las piezas de información que faltaban y piensa la razón por la que elegiste completarlas de aquel modo. En la mayoría de los casos, las historias que creaste se basaron en tu apego a cierto sistema de creencias, y si no investigas el origen de esos apegos, te harán sufrir en el futuro.

Por ejemplo, en la historia ficticia anterior de mi novia en la que me sorprende presentándose de improviso cargada de comida para que cenemos juntos, supuse que no me había llamado por teléfono porque me estaba siendo infiel. Si yo no analizo esta suposición, la herida de su traición imaginada me afectará emocionalmente de manera negativa y reforzará mis falsas creencias sobre las relaciones de pareja como si fueran ciertas. Es decir, una herida creada por una suposición me afectará tanto como un apego hasta que vea que esta suposición es falsa.

Pero este ejercicio, además de ayudarte a reconocer las suposiciones que haces, está pensado para que adviertas la base de tus creencias, sobre todo las que afectan negativamente tu vida. Si construimos nuestro sistema de creencias basándonos en suposiciones y nos apegamos a este sistema, estaremos viviendo en la ignorancia. En cambio, la verdad es el camino a la libertad. Darnos cuenta de estas suposiciones y del origen de nuestro apego a ellas nos permite curarnos realmente de una herida.

EL AFÁN DE LA VERDAD FRENTE
AL AFÁN DE TENER RAZÓN

Cuando ves cómo el apego distorsiona y corrompe el conocimiento, empiezas a entender por qué la gente confunde fácilmente su afán por la verdad por su afán por tener razón. Y una cosa es muy distinta de la otra. El afán de tener razón está relacionado con la autoestima: necesitamos estar en lo cierto para aceptarnos, es la condición que nos ponemos para aceptarnos a nosotros mismos y a los demás. En cambio, el afán por la verdad es el deseo de descubrir, sean cuales sean las creencias que mantengamos.

LA ELECCIÓN DE ACEPTAR
O RECHAZAR NUESTRAS CREENCIAS

Madre Sarita, mi abuela, practicaba la curación a través de la fe. Los que presenciaban sus acciones creaban unas historias increíbles sobre ellas, atribuyendo cualidades mágicas a la capacidad de mi abuela para ayudar a la gente a recuperar la salud. Se llamaban a sí mismos creyentes. Cada vez que mi abuela curaba a alguien, un espectador analizaba y describía sus acciones, haciendo que parecieran espectaculares y de otro mundo. Mi abuela siempre decía: «Ha sido Dios quien lo ha curado y no yo», pero ellos seguían contando los hechos a su manera y difundiendo lo que creían.

Como estas fantásticas historias eran sobre mi abuela, yo quería creérmelas. Había presenciado muchos episodios de esta índole, ya que había visto a muchos enfermos recuperarse de sus dolencias. Pero empecé a advertir que las percepciones de los demás sobre lo ocurrido no siempre concordaban con las mías. Lo que para mí había sido una experiencia, para otras personas era magia. En algún punto medio entre estas dos versiones se encontraba la verdad, pero todos los elogios conferían a aquellos sucesos un aura de misterio. Lo cual los convertía en experiencias místicas que avivaban el fanatismo de quienes se apegaban con fuerza a semejante creencia. Por eso a una edad temprana tuve que aprender a distinguir lo que era verdad de lo que no era más que una historia. Aprendí a basarme en mi propia percepción y a cuestionármela al mismo tiempo.

Si yo hubiera intentado decirle a alguien que insistía en que Madre Sarita había hecho magia que no estaba percibiendo correctamente la actuación de mi abuela, esa persona nunca me habría creído. Después de todo, estaba hablando de algo que había visto con sus propios ojos y de lo que se había beneficiado: *magia*. Los que así lo creían desechaban los comentarios de cualquiera que no estuviera de acuerdo con ellos, sosteniendo que aquella persona no podía comprenderlo. O sea que aprendí a no apegarme a mi opinión. A medida que advertía mi apego a tener razón, me di cuenta de mi necesidad de convencer a los otros de que vieran lo que sucedía desde mi punto de vista.

Más tarde creí que al menos me podía fiar de lo que aprendía en la escuela. Después de todo, lo que estaba aprendiendo procedía del sentido común y de la historia. Pero un día mi padre me dijo que no me creyera nada de lo que estaba aprendiendo en el colegio. Al igual que la gente había interpretado las acciones de Madre Sarita a su propia manera, las historias y las ideas que me enseñaban en la escuela eran también las interpretaciones de otros. Esta noticia me dejó desconcertado, pero llegué a comprender que en *cualquier* caso siempre tenía que buscar la verdad.

En México, el lugar donde pasé la mayor parte de mi niñez, hay una historia que se enseña en la escuela sobre seis heroicos cadetes que resistieron el asedio de las tropas americanas. En la batalla de Chapultepec, el ejército estadounidense invadió Ciudad de México desde el oeste e intentó apoderarse del castillo. Los seis cadetes decidieron quedarse para defender la fortaleza y la ciudad, pero fueron cayendo uno tras otro. Juan Escutia, el último de los Niños Héroes en perecer, se negó a ser apresado por el enemigo y, envolviéndose con la bandera mexicana, se arrojó desde lo alto del castillo.

Cuando vas al castillo de Chapultepec y visitas el área donde se supone que Juan Escutia cayó, y luego observas la piedra que marca el punto desde el que supuestamente se arrojó, parece imposible que hubiera podido realizar tal hazaña. Los historiadores modernos niegan este mito patriótico y algunos dicen que los cadetes nunca existieron a pesar de las pruebas genealógicas. Sea verdad o ficción, lo enseñan en los libros de texto de historia. Pero México no es el único país o la única cultura del mundo cuyos libros de texto contienen historias en lugar de hechos reales.

De pequeño, yo me creía la historia de los Niños Héroes porque sabía muy pocas cosas. Pero ahora puedo elegir creérmela o no. Sé que las palabras de esa historia seguramente las inspiró un sentimiento patriótico. Ésta es la verdad, aunque la historia sea falsa.

He elegido creer que soy un tolteca, descendiente de los Guerreros del Águila, porque he elegido creer en las palabras de don Exiquio, mi tatarabuelo, que falleció a los ciento dieciséis años. Ya era mayor cuando mi abuela nació en 1919. Sus palabras siguen en pie. Creer en ellas es un acto de fe. Aunque mi familia transmita las enseñanzas de los Guerreros del Águila, ¿fueron realmente nuestros antepasados como cuenta la tradición oral? Saber que la historia de nuestra familia se basa en las palabras de mi tatarabuelo no significa que tenga que ser falsa. Además, reconozco que las historias que ahora contamos se han ido distorsionando y adaptando de una generación a otra. Pero las lecciones que contienen siguen siendo las mismas, y por eso *elijo* creer en ellas. Ésta es mi *preferencia*.

Las historias que nos contamos sobre nosotros mismos para sentirnos a gusto y seguros no son más que historias. Podemos elegir creérnoslas porque eso es lo que queremos, pero sin olvidar que no describen la verdad de quiénes somos realmente. Y además debemos tener cuidado, porque el mismo acto de desear creer en ellas nos impide ver la verdad. Creer en las historias a ciegas o sin analizarlas a fondo hará que nos llevemos una desilusión, porque nos habremos apegado a la identidad que nos hemos creado al contarnos la historia. Recuerda que una historia puede describir un momento, una experiencia o una lección de la vida, pero por muy claro que nos refleje la verdad, no deja de ser una historia que elegimos creer o no.

Las cosas que ocurren en nuestro mundo superan la lógica y la razón. Pero creer —en lo místico o lo científico— sin ser en cierto modo un escéptico es dejar que el conocimiento tome el control. En este caso la fantasía se vuelve más real que la vida misma, hasta el punto de pasarnos tanto tiempo persiguiendo lo espectacular que nos olvidamos de que la felicidad también se puede encontrar en los episodios cotidianos que ocurren a nuestro alrededor.

Cuando basamos nuestra identidad y autoestima en aquello que creemos, tanto si se trata del reino terrenal como del sobrenatural, nos costará ser escépticos. Y cuando nos cuestionamos todo aquello en lo que creemos, el pilar en el que se apoya nuestra identidad se tambaleará. Pero recuerda que la confianza en uno mismo es ser capaz de cuestionarte tus propias creencias y estar dispuesto a hacerlo.

Mucha gente cree que la confianza en uno mismo significa defender las creencias personales al cien por cien. Pero si no puedes escuchar lo que está pasando en el mundo y sólo dependes de lo que crees saber y creer, es que te has apegado a una idea que te está cegando. Y esto no es confianza en uno mismo, sino testarudez. Estamos condicionados a actuar de tal modo que siempre que nos topamos con una verdad que contradice algo en lo que creemos nos apresuramos a rechazarla o creamos una historia para proteger nuestra creencia, con lo que crece la maraña de distorsión. Y al hacerlo seguimos distorsionando nuestra fe más todavía y adquirimos nuevas creencias para no sentirnos inseguros.

La lección que podemos sacar es que, en lugar de dejar que nuestra confianza dependa de nuestras creencias, debemos basarla en nuestro ser, ya que ante todo somos el ser vivo que les da vida. Es decir, en lugar de confiar en *aquello* que sabemos, hemos de confiar en *quienes somos*. En vez de defender una creencia con todas nuestras fuerzas o discutir sobre ella, debemos observar y escuchar lo que ocurre a nuestro alrededor. Cuestionarnos a nosotros mismos y estar abiertos a cambiar de opinión sobre algo no significa que debamos cuestionarnos la esencia de nuestro ser. Podemos, con confianza, cuestionarnos simplemente las creencias e historias que hemos creado para describir nuestro ser.

Pregúntate:

- ¿Dónde he aprendido esta creencia?
- ¿Cómo me está afectando
- ¿La estoy usando bien?
- ¿La sigo necesitando?

Estas preguntas te ayudarán a identificar las cosas que impiden que aflore todo tu potencial. Considera un tema, una acción o una relación en particular. ¿Sigues creyendo en las creencias que tenías en el pasado en cuanto a este tema? Nos da miedo que cambiar de punto de vista sea admitir que algo va mal en nuestra vida. Pensar que nos hemos equivocado puede hacernos sentir culpables, porque lo que hicimos y dijimos se basaba en esa creencia. Si decidimos que una creencia ya no nos sirve, esto podría hacernos cuestionar cada acción del pasado en la que nos basamos en ella. Pero no tiene por qué ser así. En su lugar, podemos elegir ver que lo que nos funciona un día puede no funcionarnos al siguiente. Las cosas cambian y no necesitamos cavilar sobre cada acto del pasado. No es la virtud lo que hemos perdido. Recuerda que debes hacer esto queriéndote y aceptándote en todo momento, porque es el único camino que lleva a un cambio real y duradero. En el siguiente capítulo seguiré analizando cómo no ser conscientes de nuestros apegos puede hacernos sufrir, sobre todo cuando nos relacionamos con los demás.

13

El papel de los apegos en los conflictos

La mayoría de las personas tenemos una versión ideal de cómo creemos que el mundo debería ser. *Tengo que. Debes. Deberían. Tiene que ser.* Cuando oímos estas palabras, estamos escuchando las voces en nuestra cabeza expresando un acuerdo que pertenece a un nivel más alto de apego. Las voces en nuestra cabeza nos recuerdan cómo las cosas deben progresar según nuestro modo de ver para que el mundo sea como nosotros queremos o esperamos que sea. Son las reglas que nos hemos impuesto en la vida, y si nos las saltamos, nos juzgamos a nosotros mismos (y a los demás) con dureza. Tenemos que hacerlo «bien» y nuestras creencias nos dictan qué es lo que esto significa. Dependiendo de cuál sea nuestro nivel de apego a una creencia en particular, quizás estemos tan convencidos de lo que creemos que no veamos más que esta alternativa y ni siquiera se nos ocurre que pudiera haber otras.

Cuando oímos a alguien decir que el mundo debería ser así y asá, por más maravillosa que sea la idea, hay que tener en cuenta que se puede corromper fácilmente, porque para que el mundo existiera en este estado ideal, el idealista tendría que imponer sus creencias a los demás y someter a los que se niegan a adaptarse a su imagen «perfecta» del mundo.

A veces creemos que la única forma de lograr que alguien sea mejor persona y, por extensión, de lograr que el mundo sea un lugar mejor es convencerle de que vea las cosas como nosotros las vemos. Pero hay un montón de personas a nuestro alrededor que no se comportan como nosotros creemos que deberían comportarse, y gastamos mucha energía intentando convencerlas para que sean algo que no son, en lugar de dejar que sean quienes son.

Cuando creemos saber más que otra persona, acabamos chocando con sus creencias. Esto es lo que corrompe cualquier idea maravillosa. La idea podría tener que ver con la comida ecológica, los derechos civiles, la tolerancia, los derechos de los animales, la paz mundial..., o con cualquier otra noble idea parecida que se te ocurra. Un apego fanático a cualquiera de estas ideas hará más mal que bien. Cuando el apego a la creencia tiene más peso que la importancia misma del mensaje, corrompe la idea, el respeto se pierde y la libertad corre peligro. Y si no respetamos la libertad de elegir de los demás, la paz no es posible.

Cuando nos apegamos a estas «nobles» creencias, hacemos sentir culpables a los demás o les imponemos condiciones para que coincidan con nuestras ideas. Sabemos que lo estamos haciendo cuando nos oímos decir cosas como: «¿No te da vergüenza lo que estás haciendo?» o «¿Cómo puedes ser tan desconsiderado?» Con el objetivo de que cedan a nuestros deseos, buscamos cualquier cosa para que su sistema emocional se desmorone, y cuando no encontramos con qué fustigarles, nos enojamos y nos volvemos más intransigentes.

Cuando creemos que un ser querido se está haciendo daño con sus malos hábitos, le metemos miedo para que cambie de verdad: «¡Necesitas ayuda!», «¡Deja que te ayude!», «¡No deberías hacerte esto a ti mismo!» Por desgracia, esta clase de método sólo causa más dolor. Avergonzar a alguien para que cambie no sirve de nada.

Todos somos libres de elegir nuestras creencias y crear nuestros apegos desde nuestro punto de vista. ¡No hay ningún plan único que debamos seguir si no queremos fracasar! Hay siete mil millones de personas viviendo en nuestro planeta y, por lo tanto, hay siete mil millones de puntos de vista distintos. Si cada una de ellas insistiera en que su punto de vista es el único válido, entonces tendríamos siete mil millones de encontronazos en el mundo. Mientras entremos en la batalla de «Yo tengo razón y tú estás equivocado», siempre habrá conflictos. Nuestro apego a estar en lo cierto —el apego a nuestra importancia personal— es el que nos impide experimentar la libertad tanto en el sueño personal como en el sueño del planeta.

El libre albedrío no es una cuestión de tener razón o de estar equivocado, sino de abrir vías de comunicación y respetarnos unos a otros como seres humanos para crear una comunidad compartida. Cuando nos apegamos demasiado a un ideal, primero perdemos el respeto por los que nos rodean y luego por nosotros míos. Pese a tener cada cual su punto de vista, todos venimos del mismo lugar. Lo único que nos diferencia es el apego a nuestro punto de vista y a la creencia de que los otros deben coincidir con él. En este punto es cuando empezamos a poner condiciones en cuanto a nuestro amor a los demás, y esto es lo que crea conflictos.

DEFENDER NUESTROS IDEALES

En cuanto tomas conciencia de tus creencias, eres capaz de cuestionarte tus ideales y puntos de vista. Pero el hecho de cuestionártelos ya no te desestabiliza como antes, porque ahora ya no te descubres defendiendo tus puntos de vista ni imponiéndoselos a los demás.

Si dos personas con ideas muy distintas discuten, la discusión nunca acabará. Al intentar cada una convencer a la otra para que cambie de opinión y coincida con su versión de lo que cree que es verdad, crearán un velo de bruma entre ellas. Su incapacidad para escuchar al otro acabará en una falta de respeto.

Aunque parezca que una de ellas va ganando terreno, mientras ambas sigan apegadas a sus creencias, la batalla no terminará nunca. Sólo se podrá producir un cambio si una de ellas es capaz de observar la situación desde una cierta distancia y escuchar al otro sin juzgarlo. Al cuestionarnos sistemáticamente nuestras creencias, nos abrimos a un mundo de infinitas posibilidades y evitamos quedarnos aprisionados en una mente cerrada que sólo quiere tener razón.

No necesitamos defendernos o defender nuestras creencias contra las opiniones y creencias de los demás. Lo único que necesitamos es respetarnos. Cuando nos respetamos a nosotros mismos, no nos tomamos lo que los demás dicen como algo personal. Si cedemos a la tentación de tomarnos como una ofensa los actos de otros, habremos perdido el respeto por nosotros mismos al decir sí a las creencias de los demás. En cuanto lo hacemos, el apego a estas creencias nos obliga a cambiar nuestro móvil de defensa por el de la ofensa. Y con este cambio podemos pasar fácilmente de ser la víctima a convertirnos en el agresor, lo cual trae una nueva serie de consecuencias. Pero si no nos tomamos las cosas como algo personal, no nos dejaremos llevar por nuestro apego a la importancia personal y podremos tomar decisiones basadas en el respeto mutuo, con lo que resolveremos los problemas en lugar de empeorarlos.

Hace poco un hombre vino a instalar algo en mi casa. Como hago siempre en estos casos, me senté a charlar con él, haciéndole preguntas y viéndole trabajar. Me preguntó a qué me dedicaba y le expliqué un poco lo que hacia. Se fue alterando cada vez más y me dijo que sólo había una verdad, un solo camino, y que los que no opinaban como él lo único que querían era sacarle dinero al prójimo.

Habló de su pastor y de las enseñanzas de su Iglesia, reiterando que no había más que un camino. Yo no discutí con él, me limité a escuchar lo que decía. Según las enseñanzas de mi abuela, aprender es esto. A punto ya de irse, me dijo: «Cuando me muera, sólo tendré que rendirle cuentas a una persona. Y si me he equivocado, lo descubriré».

Siguió diciéndome que no creía en Dios por amor o fe, sino para ir al Cielo. Éste era su objetivo principal. Al menos eso es lo que me dijo. Me señaló: «Miguel, puedes decirle lo que quieras a toda esa gente, pero recuerda que sólo hay un camino, una verdad».

Escucharle me enseñó algo. Compartió conmigo su sistema de creencias, pero eso no fue lo que yo aprendí de él. Lo que aprendí es que aquel tipo creía lo que me estaba diciendo. ¿Y quién era yo para llevarle la contraria? Si hubiera sentido la necesidad de replicarle, me habría basado en el apego a mi identidad y a mis creencias y habríamos entrado en una batalla que hubiera tenido que ver con la importancia personal.

Ese hombre me mostró que si yo hubiese elegido discutir con él me habría apegado al conocimiento, lo cual no tenía nada que ver con él. Y esto me dio la libertad para elegir, fui capaz de observar mis creencias y decidir escucharle a él y a mí. La vida que él había elegido vivir no tenía nada que ver con la mía. Vi que sus apegos y su conocimiento le controlaban, pero yo no podía objetar nada porque era libre de hacer lo que quisiera con su vida.

En lugar de discutir con vehemencia hasta el punto de no ver ni oír nada, animados por nuestra importancia personal, podemos al menos estar dispuestos a admitir que tal vez estemos en un error o que la situación se pueda ver desde una perspectiva totalmente distinta, como en el caso de aquel hombre. Cuando elegimos compartir nuestra verdad con alguien en este estado, se da un respeto mutuo. Al observar nuestras creencias y puntos de vista con la mente abierta, vemos con claridad lo apegados que estamos a ellas.

Ser conscientes de nuestros apegos nos permite volver a ser libres para elegir si queremos seguir conservándolos o no. La elección es crucial. A veces elegimos apoyar al equipo deportivo local o discutir sobre religión o política con nuestra familia. O dedicar una parte de nuestra vida a una causa o a un movimiento, y otras veces elegimos no hacerlo. Pero ser conscientes de nuestros apegos nos permite saber si nuestra importancia personal ha empezado a corromper la esencia de la actividad a la que hemos decidido entregarnos. Si nos descubrimos defendiendo con pasión nuestra postura o causa, es que estamos nublados por nuestro apego.

Escuchar lo que dicen los demás sin dejar que sus palabras nos afecten nos ayuda a ser conscientes de nuestra verdad, a ver qué es real para nosotros y qué es una ilusión, una mentira alimentada por nuestra importancia personal. El don de escuchar deja al descubierto la ilusión de la importancia personal. Al ser conscientes de ello, no necesitamos defender nuestra verdad con los mecanismos de una discusión que lo único que hará es que se nos suba el ego a la cabeza. Exponer nuestra verdad, si elegimos exponerla, apenas requiere esfuerzo alguno por nuestra parte. Cuando la verdad es sencilla, sabes que es real. Por supuesto, quizás algún día debas defender esta verdad. Pero si llega ese día, sabrás que

lo harás con lucidez, siendo consciente del poder de tu
fuerza de voluntad.

Llega un momento en la vida en que nos cansamos de
necesitar tener siempre la razón, sobre todo cuando
vemos que la necesidad de alimentar el ego afecta nuestras relaciones con quienes deseamos tener por amigos,
cuyas bellas almas no desean más que querernos. Los apegos nos impiden ver más allá de nuestras propias narices.

Todos tenemos algo que nos sirve de catalizador,
que nos anima a actuar para hacer un cambio en nuestra vida. Este catalizador suele venirnos de dentro, pero a
medida que vemos cómo se construye el filtro de nuestro
conocimiento, comprendemos que los cambios duraderos
sólo pueden surgir de nuestro interior. Los cambios que
hacemos afectan cómo nos relacionamos con los demás
en la vida y tienen un impacto en el sueño comunitario: el
sueño del planeta.

Yo soy quien dice sí y no, yo soy quien establece todos mis acuerdos y el único que puede cambiarlos.
Cuando veo cómo mis apegos afectan mi relación conmi-

go mismo y el sueño del planeta, me doy cuenta de que soy el único que los puede cambiar. Éste es el despertar de nuestra intención en forma de libre albedrío.

Durante la lectura del último capítulo del libro, me gustaría que te quedaras con la idea de que puedes vivir la existencia humana sin estar cegado por tus apegos, experimentando plenamente la vida. Espero que el último capítulo te ofrezca las herramientas que te ayuden a hacer uso de tu libre albedrío. Éste es tu poder y me alegro mucho por ello. Yo no tengo ningún poder sobre ti, sólo puedo compartir mis palabras contigo. Pero mientras las recibes, eres tú el que dice sí —«Estoy de acuerdo con ellas»—, o no —«No lo estoy»—. Eres libre de elegir.

14

Honrando nuestras emociones

En teoría, dejar de apegarnos a algo o reducir nuestro nivel de apego no parece tan difícil, ¿no? Sabemos que si nos descubrimos en una situación poco sana, debemos alejamos de ella. Si no logramos alcanzar un objetivo, podemos volver a intentarlo. Si queremos hacer un cambio, basta con seguir adelante hasta conseguirlo. No tenemos ninguna necesidad de complicarnos la vida, podemos vivir con sencillez, pasando de una relación a otra sin apegarnos demasiado a ningún resultado.

Pero en la vida real no resulta tan fácil, porque somos humanos y no robots sin corazón. Nuestras emociones afloran y al principio sufrimos cuando intentamos depender menos de las cosas externas, que son a las que más nos apegamos. Así que la pregunta es: ¿cómo podemos afrontar las emociones que surgen por el camino?

Es importante tener en cuenta que nuestras emociones son reales y que no debemos ignorarlas como si no
existieran ni enterrarlas como si no tuvieran ningún valor.
Las emociones crean el áncora más auténtica. El espectro
de las emociones —miedo, amor, envidia, inseguridad,
ira, alegría— es real, pero lo que las desencadena puede
que *no* lo sea. A estas alturas seguramente ya comprendas
por qué es así.

Las emociones nos ayudan a comunicarnos unos con
otros. Si no pudiéramos expresar lo que sentimos ni reconocer lo que sienten los demás, estaríamos en desventa-
ja. Como le ocurre, por ejemplo, a mi hijo Alejandro, al
que le diagnosticaron autismo de alto funcionamiento.
Le estamos enseñando a expresar sus emociones para que
sepa lo que está sintiendo y pueda interpretar los sentimientos ajenos. Una de las herramientas que usamos para
ello es un osito de peluche, un regalo de su tía, que muestra distintas emociones. También le estamos enseñando
las palabras relacionadas con cada emoción. Es el uso
básico del conocimiento y todos necesitamos aprenderlo
en nuestra vida, cuanto antes mejor, para poder expresar-
nos y transmitir nuestras necesidades y deseos en el sueño
del planeta. Algunas personas, como mi pequeña Audrey,

tienen facilidad para compartir lo que sienten emocionalmente, y a otras en cambio les cuesta más, como a Alejandro. Pero una emoción está presente tanto si le ponemos
nombre como si no se lo ponemos, tanto si la expresamos
con el rostro como si no. Las emociones son verdades.

Lo que sentimos es real, pero lo que ha desencadenado la emoción podría basarse en una ilusión o una distorsión. Lo ilustraré con un ejemplo. Estoy sosteniendo en brazos a mi hijo Alejandro, que acaba de nacer, y
siento una felicidad absoluta. No pienso en nada, simplemente me dejo envolver por el momento. La emoción
es real: el momento es real. No he creado una historia
en mi mente. Pero mientras lo sostengo, pongamos que
me viene a la cabeza un pensamiento: «¿Y si se muere?»
Esta ilusión, esta inseguridad, este miedo me perturba el
ánimo de pronto. Mientras siento la emoción, la semilli-
ta de miedo arraiga en mí y me invade el miedo a perder
a mi hijo. Paso de sentir una felicidad absoluta a estar
aterrado. La ha desencadenado una ilusión, pero la emoción que siento es real.

Nuestras emociones —sea cual sea el desencade-
nante— son una expresión de nuestro ser. Éstas son las
preguntas importantes que debemos hacernos: ¿sé qué ha

originado esta emoción? ¿sé si lo que la ha causado se basa en la realidad o en una información falsa? ¿Sé si se basa en un apego a una creencia o expectativa en particular?

Cuando me disgusto, sé que algo que yo creía que era verdad ha sido puesto en cuestión. Entonces observo los acuerdos que he adoptado tanto conmigo mismo como con el mundo y me pregunto si están basados en la verdad o en una ilusión. Si estoy muy apegado a un acuerdo en concreto, quizás esté gastando mucha energía para mantenerlo vivo. Si me exige tanto esfuerzo mantener algo con vida, no puede tener demasiada solidez, ¿no? Si adopto un punto de vista escéptico, puedo elegir volver a creer o no en este acuerdo.

Las emociones desagradables son como alarmas: nos muestran dónde está el problema, la herida de la que debemos ocuparnos, y así nos ayudan a ver nuestra propia verdad. Cuando surge una emoción, es el momento idóneo para hacerte esta clase de preguntas: ¿Qué me está diciendo? ¿Qué acuerdo la está causando? ¿Qué apego está poniendo en peligro? ¿Creo de verdad en él? ¿Es importante? Responder a estas preguntas te permite analizar tus creencias y elegir si quieres o no seguir conservándolas.

Honramos nuestras emociones al ver que expresan cómo nos sentimos y por lo que estamos pasando. Observamos lo que las ha provocado, sintiéndolas simplemente. Y también las honramos al saber que tal vez las haya desencadenado algo que no se basa en la verdad. Las usamos como herramientas para la transformación, porque sacan a la luz cualquier acuerdo que esté actuando desde la trastienda de nuestra conciencia. Doy las gracias a mis emociones por decirme la verdad, porque al revelarme el acuerdo que las ha causado puedo elegir «seguir creyendo en él» o «abandonarlo».

DISIPANDO EL HUMO DE MI REFLEJO

Cuando me miro al espejo, me veo de esta forma:

Soy...

- Miguel
- un tolteca
- un nagual (un guía espiritual)
- un mexicanoamericano
- un americano

- un mestizo
- un marido
- un padre
- un escritor

y así sucesivamente...

Vista según las normas de mis apegos, es la lista de autodefiniciones que puedo usar como modelos condicionales para aceptarme a mí mismo. Cuando son condiciones para quererme, significa que mi percepción está controlada por la interiorización o el fanatismo. Pero sin los apegos, todas y cada una de estas etiquetas no son más que definiciones respecto a las que puedo elegir decir sí o no como parte de mi identidad. Puedo elegir simplemente una de estas identificaciones como la preferencia con la que quiero vivir por el momento.

Ser consciente de ello me permite verme reflejado tal y como soy en este instante. El espejo refleja mi verdad: un cuerpo físico que es un símbolo vacío, al igual que las palabras de la lista, cuya definición de mí mismo depende de mis acuerdos. Incluso sin definiciones sigue reflejando un ser vivo con pleno potencial para tomar cualquier dirección. Sea cual sea el nombre que le demos

—incluso el de yo verdadero—, refleja simplemente la vida. Al mirarme en un espejo claro sin los filtros de mi sistema de creencias (el Espejo Humeante), veo la vida como el «yo soy».

El espejo claro es la toma de conciencia que refleja el pleno potencial de la vida. De mí depende cómo me defino a mí mismo y a qué digo sí o no (la ejecución de mi intención). Si yo elijo algo, a esta conciencia plena se le puede llamar el yo verdadero: la representación de la vida en forma de este cuerpo. Elija lo que elija, me veo a mí mismo tal como soy.

Imagínate que te miras al espejo y te ves tal como eres ahora, sin juzgarte. Quizá descubras que algo en ti está afectando tu salud física o emocional. Ésta es la verdad de tu cuerpo en este momento. Cuanto te miras en un espejo claro, no te juzgas basándote en esta verdad ni necesitas identificarte como alguien que no está sano de algún modo. Simplemente te ves tal como eres en este instante.

Cuando te quieres a ti mismo, puedes elegir actuar basándote en tu percepción, que en este caso es ver la verdad de tu estado de salud. Este acto no es una condición que te impones para ser merecedor de tu amor, sino que te quieres tal como eres en este momento. El quererte no depende de si haces un cambio o no. No se trata de autocomplacencia, porque eliges activamente algo y esta decisión es la puesta en acción de tu intento, tu pleno potencial.

A tu alrededor hay 360 grados de posibilidades. El punto en el que te encuentras —este ahora— es tu potencial. Avanzar en cualquier dirección es hacer una elección, dices sí a algo y no al resto. Esto es cierto tanto si eres consciente como si no lo eres de las infinitas posibilidades que tienes a cada momento. Como he descrito en detalle en estas páginas, cuanto más te apegas a algo, más se nubla y estrecha tu visión, a veces hasta el punto de creer que es la única alternativa. Tu apego a una creencia te impide ver más allá de esta sola posibilidad. Así que a medida que tomas tus decisiones para abandonar los apegos que ya no te funcionan, tus opciones parecen aumentar y expandirse. Pero lo que en realidad estás haciendo es aumentar tu perspectiva, porque siempre has estado rodeado de posibilidades.

Recuperar el poder y ganar la libertad

Como he dicho en la introducción, mi abuela fue la primera en enseñarme los métodos de nuestra tradición y durante mi aprendizaje con ella aprendí a silenciar mi mente y a confiar en mi corazón, dejando que la inspiración fluyera a través de mí. Mi abuela también me enseñó el poder de la fe, sobre todo en Dios, el cual según ella le había dado su capacidad de practicar curaciones. En el ocaso de su vida empezó a levantarse a las tres de la madrugada para rezar y meditar con el rosario y una vela encendida. El resto del día lo dedicaba a curar, examinar y ayudar a las personas que lo necesitaban.

Cuando terminé mis estudios en la universidad, mi padre se convirtió en el maestro de nuestras tradiciones. Me guió ayudándome a afrontar los apegos que había adquirido a lo largo de mi vida, y los abandoné hasta el doloroso extremo de sacar a la luz cada una de mis heridas. De esta forma me curé del dolor que yo mismo me había creado.

No es fácil dejar de apegarnos, sobre todo cuando las cosas que creemos de nosotros mismos (incluso las que nos hacen sufrir) nos ofrecen una zona de comodidad a la que nos acostumbramos. Cuando nuestra importancia personal depende del conocimiento y nos quedamos sin él, sufrimos un duro golpe. Al final, gracias al proceso continuo y auténtico de dejar de apegarnos, descubrimos que no nos hace falta ninguna justificación para aceptarnos a nosotros mismos. Este descubrimiento es poderosísimo, es como soltarnos del pasamanos cuando estamos seguros de que no nos podemos caer.

En aquel tiempo mi padre pasaba temporadas en Oceanside, California, y un día mi abuela fue a visitarnos.

Mi padre siempre aprovechaba cualquier ocasión para enseñar y al ver que se le presentaba una, quiso darme una lección.

—Miguel, a tu abuela le da miedo morirse —me dijo—. Ayúdala a abandonar este temor.

Miré a mi padre con asombro.

Mi abuela se giró hacia mí alzando las cejas como diciendo: «¿Ah, sí?»

Tragué saliva. No quería hacerlo.

—Miguel, ayuda a tu abuela. Dile por qué es bueno no temer la muerte.

Me levanté al instante y tal como mi abuela me había enseñado a hacer muchos años atrás, despejé mi mente para poder actuar y hablar sin apegarme a mis pensamientos. Mi tarea era ayudarla a abandonar su último apego: el primer nivel, el del yo verdadero.

La llevé con la silla de ruedas hasta el espejo de cuerpo entero que había en el pasillo.

—Abuela, mírate al espejo. Eres hermosa. Eres maravillosa. Eres la persona más apasionada, lista y fuerte que he conocido. Imagínate que todo cuanto quieres es verdad: tu familia, tus hijos, tu Biblia, tu rosario, tu incienso, tus velas. Tienes fe en todas estas cosas y esta fe te permite hacer milagros por los demás. Has dicho que era Dios quien lo hacía y, aunque sea verdad, sin tu fe toda esa gente no se habría curado. Tu fe es tan fuerte que todo cuanto crees cobra vida a cada bocanada de aire que aspiras. Tu apego a esta forma física a la que tú das vida te impide dejar de aferrarte a las cosas de este mundo.

»Mírate en el espejo, abuela, e imagínate que estás rodeada de todas las cosas que tanto quieres. Tu fe es tan fuerte que has puesto la energía de Sarita en cada una de ellas. Al igual que has dado vida a tus pensamientos, creencias e ideales, estas cosas tienen vida gracias a ti. Es hora de recuperar la energía que les has dado y de dejar de apegarte a ellas. Despréndete del miedo de lo que tú

serás sin ellas y de lo que ellas serán sin ti. Cuando te lle-
ves el poder que les has dado, dejarás de identificarte con
estas cosas. Entonces, sólo serás tú..., tú y tu imagen de
Sarita, tu cuerpo. Cuando estés lista para abandonar este
último apego, te podrás morir en paz.

Madre Sarita me dio un beso y asintió con la cabeza. Un mes y medio más tarde falleció. Vivió hasta los
noventa y ocho años y no dejó nunca de ayudar a la
gente. Siempre la llevaré en mi corazón con un gran amor
y gratitud.

Aunque no he hablado de la muerte real mientras describía el proceso de desprendernos de nuestros apegos,
he estado hablando de la muerte potencial de cómo nos
identificamos con las cosas que queremos, el conocimiento adquirido y las ideas que creamos. Todo lo que más
queremos vive en nosotros por la energía que le damos
con nuestros apegos.

Nos resulta más fácil atribuirle un poder a las cosas
del mundo exterior que ver que *somos nosotros* los que les
damos el poder que tienen. Somos los responsables de

nosotros mismos y de nuestra realidad. Somos los creadores de nuestro propio sueño. Por eso los juicios que hacemos sobre nosotros mismos son tan fuertes y vivos que pueden retenernos y anclarnos en el pasado, porque ¡somos los que les hemos dado el poder a las voces en nuestra cabeza! Por suerte, no hace falta que nos muramos para recuperarlo. Sean cuales sean los apegos con los que carguemos, todos somos libres de vivir la vida al máximo en cualquier momento. Al siguiente paso que demos nos estará esperando un sinfín de posibilidades y podremos darlo sabiendo que somos capaces de hacerlo. Cuando somos conscientes y vemos la verdad del potencial infinito, no existe mayor libertad que ésta.

Epílogo

Desde que empecé el aprendizaje de las tradiciones de mi familia he vivido muchas experiencias en la vida. He sentido sus altibajos: desde los conflictos hasta la armonía, desde sentir ira y miedo hasta experimentar felicidad y amor. He aprendido que el secreto para cualquier clase de transformación estriba en ser conscientes. Cualquier transformación empieza con el deseo de aceptar nuestra verdad en ese momento de concienciación, un momento que va avanzando con nosotros a lo largo del camino de la transformación.

Cuando empecé mi labor, me acabé apegando a los resultados, pero seguí un proceso que va más allá de ese apego. Comprendí que me había apegado a todo cuanto había percibido porque me daba miedo lo desconocido. Nos sentimos más cómodos si estamos protegidos con nuestra red de seguridad, pero a medida que me empecé a mover fuera de mi zona de comodidad, los niveles del apego comenzaron a tomar forma y lo que había aprendido de las enseñanzas de mi abuela empezó a reflejarse en mi vida.

Todos queremos formar parte de un grupo o de una comunidad, encontrar un lugar que nos permita sentirnos como una unidad. Siempre estamos buscando esta comunión, por eso todo aquel esfuerzo tenía que ver en el fondo con la capacidad de relacionarme armoniosamente con mis hermanos y hermanas y conmigo mismo. Al principio creí que se trataba del afán de descubrir los secretos ocultos de la vida, realzados con una pátina de historias increíbles sobre lo metafísico. Pero este afán trata en realidad de la vida misma. Siempre ha sido una cuestión de crear una vía libre de comunicación con los seres queridos, empezando por mí.

Comprender los cinco niveles del apego es volver a mantener una relación incondicional con nosotros mismos. Yo empecé aceptando que mi vida era valiosa y que mi cuerpo y mi mente eran las herramientas que me permitían expresarme en lo que respecta al amor, el intelecto y la toma de conciencia. El conocimiento se transforma en sabiduría cuando la información que describe el mundo refleja con claridad la verdad que fluye y evoluciona con nosotros a lo largo de la vida. El amor empieza con uno mismo.

No todos vivimos en un monasterio o en un *ashram* rodeados de personas que persiguen el mismo objetivo, permitiéndonos unos a otros silenciar la mente y dedicarnos a nuestro proceso. Vivimos en el sueño del planeta, donde nos estamos relacionando constantemente con personas con apegos de distintos niveles. Y aunque interactuamos con los demás deseando mantener relaciones armoniosas, la armonía empieza en uno mismo. Si somos conscientes de ello y nos aceptamos a nosotros mismos, podremos dar a los demás lo que esperamos recibir a cambio.

A la disciplina de ser conscientes y poder a la vez relacionarnos armoniosamente con los demás la llamamos «desatino controlado». Esta maestría no se puede emprender sin ser antes conscientes de la propia verdad, y los cinco niveles del apego son el instrumento que nos permite ver nuestra verdad del presente con más claridad. Mientras empezamos a reconstruir nuestro sueño personal siendo más conscientes de nuestra gran obra de arte personal (que siempre estamos realizando) podemos elegir crear la armonía más perfecta si así lo deseamos.

Al final no es más que una cuestión de ver el conocimiento como un componente básico para cocrear un sueño con otra persona mientras somos conscientes de nuestro yo. Yo disfruto interactuando con el sueño del planeta y usando el conocimiento para comunicarte mi sueño. Disfruto representando mi papel con respeto y amor en el mundo que me rodea. Formo parte de la creación. Podemos tomar conciencia de que el amor es lo que nos une. Podemos amarnos con condiciones o con respeto. La diferencia está en la armonía, una especie de cielo en la Tierra. Cuando respetamos el libre albedrío ajeno, reina la paz.

Para mí, mi hogar ya no es un lugar físico, sino que está en mí. Se encuentra allí donde estén mi corazón y mi amor. Dondequiera que yo esté, allí estará mi hogar. ¿Acaso no apegarnos a las heridas que nos agobian no es la mejor forma de expresar nuestra libertad? ¿Acaso «te perdono» no es el mejor uso que puedo hacer de mis palabras? ¿Acaso decir que amo a otro sin miedo no es la mejor forma de decir que soy libre?

Gocemos de este momento de la vida. El pasado ha quedado atrás, el futuro está por venir, y la mejor forma de dar la bienvenida es aprendiendo a despedirnos. Yo soy amor y la paz empieza en mí. La raza, el credo, la religión, el género o cualquier otra cosa no son para mí factores que dividen a la especie humana. Para mí no tiene cabida una creencia que me separe de mis hermanos y hermanas, ni tampoco un ego o una importancia personal que me impida estar en comunión con todo cuanto existe.

La vida está hecha para amar, y hacerlo es una elección. Esto es lo que elijo, y en este acto soy amor, tengo voz. Puedo usarla para oprimir o para liberar. Puedo crear, puedo guiar y puedo amar. Al igual que tú. Juntos podemos decir: yo amo.

Amor es todo cuanto tenemos y somos.

Agradecimientos

Deseo expresar mi más profundo amor y respeto a mis maestros: Madre Sarita, mi abuela, y don Miguel Ruiz, mi padre.

Doy las gracias a mi familia por haberme enseñado a amar incondicionalmente: a mi encantadora Susan, mi hijo Alejandro, mi hija Audrey, mi Mamá Coco y a mis hermanos don José Luis y Leonardo Carlos. A mi abuelita Leonarda, mi abuelito don Luis, mi tía Martha, mi Mamá Gaya, mi hermano Ramakrishna (Trey) y a mis hermanas Kimberly-Jeanne, Jennifer y Jules Jenkins.

También quiero expresar mi más inmensa gratitud a Randy Davila, que creyó en este proyecto al publicar mi libro; a Carol Killman Rosenberg, que me ayudó a encontrar mi centro al ser mi editora; a Kristie Macris, que me ayudó a encontrar mi voz para iniciar este largo viaje; a Marilee Scott, que me ayudó a encontrar la base en la que ahora me asiento; y a Janet Mills, por sus consejos y continuo apoyo para que descubriera la esencia del mundo.

Deseo rendir homenaje a todos los profesores que me han enseñado a usar el conocimiento, en especial a Jean-Pierre Gorin, que me enseñó a contar una historia; a Catalina Heredia, que creyó en mí y me enseñó a aprender con una mente analítica; y a mi profesora de Teoría del Conocimiento María Esther Rodríguez Ruvalcaba, que me recordó que en realidad yo no sé nada.

Me gustaría expresar todo mi afecto y respeto a los alumnos de mi padre, que también fueron mis maestros espirituales: Gary van Warmerdam, Barbara Emrys, Allan Hardman, Ted y Peggy Raess, Gini Gentry, Rita Rivera y HeatherAsh Amara. ¡Cuánto amor me habéis enseñado! Y a la comunidad que surgió de estas enseñanzas, siempre os estaré agradecido y os llevaré en mi corazón.

Sobre el autor

A los catorce años don Miguel Ruiz Jr. empezó su aprendizaje con su padre don Miguel y su abuela Madre Sarita.
Ella le pidió a esta temprana edad que tradujera al inglés
las oraciones, charlas y talleres que daba en español. De
esta manera, a base de repetirlas y repasarlas, aprendió el
contenido de las enseñanzas de su abuela en ambos idio-
mas. Al traducir las palabras de Madre Sarita don Miguel
Jr. llegó a comprender el poder de la fe. Presenció con sus
propios ojos cómo su abuela manifestaba su intento de
curar a la gente, tanto física como espiritualmente.

El aprendizaje de don Miguel Jr. duró diez años. En
la mitad de la veintena, su padre intensificó su formación.
En la cúspide de este viaje de poder, don Miguel le dijo a
su primogénito: «Encuentra tu propio camino. Ve a casa
y domina la muerte al cobrar vida».

Durante los últimos seis años don Miguel Jr. ha estado aplicando las lecciones aprendidas de su padre y de

su abuela para definir su propia libertad personal y gozar de ella al tiempo que alcanzaba la paz con toda la creación. Aplicar estas enseñanzas en el mundo que le rodeaba le permitió interpretar las lecciones de su padre y de su abuela de una nueva forma, y desear también transmitir la tradición de su familia. Después de formarse durante décadas, Miguel Jr. estaba por fin preparado para compartir todo lo aprendido. Como nagual de la tradición tolteca, en la actualidad ayuda a la gente a mantener una buena salud física y espiritual para alcanzar la libertad personal.

Don Miguel Jr. está casado y tiene dos hijos pequeños. En su calidad de nagual, ha empezado a transmitir la sabiduría y las herramientas de las tradiciones de su familia para ayudar a los demás a alcanzar la libertad personal y a gozar de una excelente salud física y espiritual.

www.miguelruizjr.com